IBRASA
LIVROS QUE
CONSTROEM

CB013307

Biblioteca "EDUCAÇÃO FÍSICA E DESPORTOS" – 26

Volumes publicados:

1. *Aulas de Educação Física*	Hudson Teixeira e M. G. Pini
2. *Metodologia Científica do Treinamento Desportivo*	M. J. Gomes Tubino
3. *As Qualidades Físicas na Educação Física e Desportos*	M. J. Gomes Tubino
4. *Teoria Organizacional da Educação Física e Desportos*	J. M. Capinussú
5. *Em Busca de uma Tecnologia Educacional para as Escolas de Educação Física*	M. J. Gomes Tubino
6. *Os Exercícios Físicos na História e na Arte*	Jayr Jordão Ramos
7. *Ginástica Rítmica Desportiva*	Ester de A. Vieira
8. *Terminologia Aplicada à Educação Física*	M. J. Gomes Tubino
9. *Planejamento Macro em Educação Física*	J. M. Capinussú
10. *Prática da Educação Física no 1.º Grau*	Vera Lúcia L. Costa
11. *Esporte para Todos — Um Discurso Ideológico*	Kátia Brandão Cavalcanti
12. *Competições Desportivas — Organizações e Esquema*	J. M. Capinussú
13. *Teoria Geral do Esporte*	M. J. Gomes Tubino
14. *Psicomotricidade, Educação Física e Jogos Infantis*	Alexandre Moraes Mello
15. *Repensando o Esporte Brasileiro*	M. J. Gomes Tubino
16. *Administração & Marketing nas Academias*	J. M. Capinussú
17. *Esporte, Educação Física e Constituição*	M. J. Gomes Tubino
18. *Moderna Organização da Educação Física e Desportos*	J. M. Capinussú
19. *Esporte e Cultura Física*	M. J. Gomes Tubino
20. *Ensino e Avaliação em Educação Física*	Sebastião Votre e outros
21. *Pedagogia da Educação Física*	Viktor Shigunov
22. *O Pontapé Inicial*	Waldenyr Caldas
23. *O Esporte no Brasil*	Manoel J. G. Tubino
24. *Karatê Esporte*	Geraldo G. de Paula
25. *Comunicação e Transgressão no Esporte*	J. M. Capinussú

HISTÓRIA DA EDUCAÇÃO FÍSICA E DO ESPORTE NO BRASIL

Dados Internacionais de Catalogação na Publicação (CIP)
(Câmara Brasileira do Livro, SP, Brasil)

Melo, Victor Andrade de
História da educação física e do esporte no Brasil : panorama e perspectivas / Victor Andrade de Melo. -- São Paulo : IBRASA, 1999.

1. Educação física – Brasil – História
2. Esportes – Brasil – História I. Título.

99-3448 CDD-613.70981
-796.0981

Índices para catálogo sistemático:

1. Brasil : Educação física : História
613.70981
2. Brasil : Esportes : História
796.0981

HISTÓRIA DA EDUCAÇÃO FÍSICA E DO ESPORTE NO BRASIL

Panorama e Perspectivas

4ª EDIÇÃO

VICTOR ANDRADE DE MELO

Edição orientada pelos
professores
MANOEL J. GOMES TUBINO
CLÁUDIO DE MACEDO REIS

IBRASA
INSTITUIÇÃO BRASILEIRA DE DIFUSÃO CULTURAL LTDA.
SÃO PAULO

Direitos desta edição reservados à

IBRASA — Instituição Brasileira de Difusão Cultural Ltda.

Rua 13 de Maio, 446 - Bela Vista - 01327-000
São Paulo - SP
Telefone/Fax:
11 3284-8382
ibrasa@ibrasa.com.br
www.ibrasa.com.br

Capa de
MF Publicidade

Editoração eletrônica
Tera Dorea

Impresso em 2009

IMPRESSO NO BRASIL – PRINTED IN BRAZIL

Este livro é dedicado a
Laurentino Lopes Bonorino,
Inezil Penna Marinho,
Jayr Jordão Ramos,
Lino Castellani Filho e
Carmem Lúcia Soares
que, a seu jeito e seu modo,
deram importantes contribuições
para o estudo da História da Educação Física
e do Esporte no Brasil.

SUMÁRIO

PREFÁCIO

O que procuramos quando pesquisamos sobre a História da Educação Física e do Esporte? Encontrar a verdade do passado, descrevê-la, narrar seus acontecimentos mais importantes, enaltecer os nomes de homens e mulheres que foram colados a determinados feitos, heroicos ou não? Quem sabe, trazer para o presente alguns ideais da civilização clássica cujas representações estéticas ainda hoje se fazem presentes no universo iconográfico da Educação Física e Esportes? Afinal, não é, ainda, a Vênus de Milo um sinônimo de beleza feminina? Sim, aquela que não tem braços e que simboliza harmonia e equilíbrio de um corpo perfeito. E o Discóbulo, de Miron, não aparece ilustrando convites de formatura de diferentes Escolas de Educação Física, muitas delas onde a disciplina História da Educação Física e do Esporte, se não é designada como menor, nem existe?

Talvez pesquisar História seja procurar no passado elementos para justificar e explicar o presente, ou melhor, escolher no passado aquilo que pode justificar e explicar o presente mostrando, afinal, que há no decorrer da história da humanidade uma relação de causas e de consequências que vão sendo forjadas pelo homem, pelos acontecimentos históricos ou, porque não dizer, pelas intenções ideológicas de quem pesquisa e escreve.

Sim, alguns encontram nessas possibilidades respostas às suas perguntas. Outros, em outras, uma vez que observam, em abordagens como estas, perspectivas metodológicas que limitam o fazer historiográfico.

Penso na pesquisa em História como uma procura, e acima de tudo, como uma tentativa de, através da nossa sensibilidade e inteligibilidade, rememorar o passado no presente. Uma tentativa de estabelecer nexos entre diferentes épocas estando ciente de que o passado é algo que não se pode modificar. Conhecer, sim, porque o conhecimento do passado é coisa em progresso, que ininterruptamente se transforma e se aperfeiçoa. Como nos fala Marc Bloch, recorrer à História como a ciência que estuda o homem no tempo é considerar que *"é tal a força de solidariedade das épocas que os laços de inteligibilidade entre elas se tecem verdadeiramente nos dois sentidos. A incompreensão do presente nasce fatalmente da ignorância do passado. Mas talvez não seja mais útil esforçarmo-nos por compreender o passado se nada sabemos do presente"*.

Inspirada nestas palavras, creio que identificar a Educação Física e o Esporte como objeto de pesquisa da/na História significa recorrer a textos, imagens, sons, objetos, cheiros, monumentos, equipamentos, vestes e tantas outras produções humanas como possibilidades de compreender que ali estão inscritas sensações, ideologias, valores, mensagens e preconceitos que permitem conhecer parte do tempo onde foram produzidos, através da intervenção do pesquisador que, utilizando-se de uma forma narrativa, arranca-os de um esquecimento/desconhecimento e os traz para o tempo presente. Ou seja, costura interpretações através dos vestígios e testemunhos que escolheu para pesquisar e da sua imaginação, originada de um desejo que parte de um sentimento que é individual e também é social, porque molhado pelo tempo presente, a partir do qual olha para o que não viveu e, assim, atribui significação ao que pode conhecer e imaginar nesse tempo que não lhe pertence.

Pesquisar é, e por que não pensar assim, construir um passeio por um tempo que é passado e é presente pois, apesar de distante na cronologia, carrega em si proximidades com representações, conceitos e preconceitos, formulações teóricas, construções estéticas, políticas e ideológicas desse tempo que é hoje e que é nosso. É procurar nos fragmentos do passado vínculos, persistências e possibilidades com o presente e o futuro, não no seu desenrolar contínuo e cronológico mas na descontinuidade dos enlaces que entre eles se vão construindo. E que são pelo sujeito-pesquisador construídos.

É compreender o entrecruzamento dos tempos, ciente de que articular historicamente o passado não significa conhecê-lo como ele de fato foi. Apenas apropriar-se de algumas de suas reminiscências interpretando-as à luz do presente. Afinal, diz Walter Benjamin, *"o passado traz consigo um índice misterioso, que o impele à redenção. Pois não fomos tocados por um sopro de ar que foi respirado antes? Não existem, nas vozes que escutamos, ecos de vozes que emudeceram? Não têm as mulheres que cortejamos irmãs que elas não chegaram a conhecer? Se assim é, existe um encontro secreto, marcado entre as gerações precedentes e a nossa. Alguém na Terra está à nossa espera. Nesse caso, como a cada geração foi-nos concedida uma frágil força messiânica para o qual o passado dirige um apelo, esse apelo não pode ser rejeitado impunemente".*

Se não podemos rejeitar o apelo do passado, não podemos deixar de evidenciar suas contradições pois que pesquisar é correr riscos porque não há uma verdade única a ser perseguida/descoberta, mas verdades que se vão construindo no entrelaçamento dos tempos.

Assim sendo, pesquisar é evidenciar o conflito, procurar a tensão, ler o não escrito, escutar o silêncio, tocar o improvável, ir além do primeiro olhar e, sobretudo, não se deter a uma explicação factual e dedutível, restringindo possibilidades de interpretação, mesmo que esta seja justificada por teorias políticas, filosóficas, estéticas e sociológicas. É exercer a liberdade política da escrita evitando aprisionar o pensamento a determinações a priori estabelecidas, pensadas, objetivadas. É destemer o conflito, a incerteza, a verdade tornada absoluta.

É também lançar-se a um trabalho que exige dedicação, rigor, disciplina, domínio teórico, riqueza de fontes, habilidade argumentativa, capacidade de análise e de interpretação, ao mesmo tempo e com a mesma intensidade, que demanda paixão, entrega e ousadia. É jogar-se à diversidade das fontes movido por uma atitude que vê ali algo a ser devassado, revirado, remexido, futricado, conhecido, imaginado, interpretado, visto.

Inspirada, outra vez, em Marc Bloch, penso que para pesquisar História não basta apenas *"um método histórico, um método crítico, um método filosófico. Há que saber mergulhar na vida através de uma História viva, que ao penetrar no presente ressuscita o passado e que, por sua vez, confere sentido ao destino (futuro)".*

E assim faz Victor Andrade de Melo, nestes diversificados e ricos ensaios sobre História da Educação Física e do Esporte. E ao fazê-lo nos permite reconhecer que, como toda a produção humana, a escrita é um ato político no qual se exerce, ao mesmo tempo, uma atitude individual e social. Mostra-nos, sobretudo, que a pesquisa e a escrita da História nunca refere-se apenas ao passado porque este é reconstruído em cada presente.

Silvana Vilodre Goellner
Outono de 1999

PRÓLOGO

POR QUE ESTE LIVRO?

Por que publicar um livro específico sobre os aspectos metodológicos da pesquisa em História da Educação Física e do Esporte? Na verdade, a resposta a tal questão não estaria desvinculada de outros tantos questionamentos, ligados à própria necessidade e peculiaridade dos estudos históricos. Para que serve a História da Educação Física e do Esporte? Como estudar a História da Educação Física e do Esporte? O que estudar? Como se tem estudado? Todas estas questões trazem em si a resposta para a primeira pergunta.

Entretanto, se neste espaço inicial respondesse a questões tão complexas, além de correr o risco das abordagens superficiais, esvaziaria o próprio sentido do livro. Logo, este livro trás no seu cerne, no seu conteúdo, a justificativa para sua publicação. Somente percorrendo suas páginas é que poderemos encontrar (espero sinceramente) alguns indicadores para responder a série de questões acima formuladas e somente assim será possível compreender o porquê de publicar um livro dedicado à História da Educação Física e do Esporte.

Introdutoriamente, entretanto, posso adiantar que a História da Educação Física e do Esporte tem sido uma das subáreas de estudo que mais tem se desenvolvido no interior da Educação Física brasileira. Somente no último Encontro Nacional específico tivemos cerca de 80 trabalhos apresentados (e publicados na íntegra) e mais de 100 inscritos participando. Obviamente ainda estamos no início de uma longa jornada e muitas perguntas, além das já formuladas no primeiro parágrafo, se colocam. Qual a contribuição da História para a Educação Física e para o Esporte? Qual sua contribuição para a compreensão da sociedade? Qual o espaço desta subárea de estudo?

Todas estas perguntas têm ocupado significativo espaço em minha vida nestes últimos anos de dedicação à pesquisa histórica. Várias foram as tentativas de responder às diversas angústias que paulatinamente foram fazendo parte de meu exercício profissional. Tais tentativas afloraram em algumas pesquisas e reflexões, publicadas na forma de artigos em revistas (nacionais e internacionais) e nas coletâneas dos congressos específicos. Publicados esparsadamente, contudo, não pareciam fazer um bloco único de preocupações, embora possam ter tido suas modestas contribuições para os leitores (eu espero!).

Este livro, então, objetiva exatamente reunir todos estes textos, tentando contribuir para a resposta das questões aqui formuladas. Como o consumo de periódicos ainda não é destacável em nossa área, espero que este livro possa ampliar tal contribuição e através da divulgação dessas ideias estimular ainda mais o debate e conclamar novos interessados a procedê-lo. Enfim, embora os textos aqui publicados já tenham sido de alguma forma divulgados, espera-se divulgá-los ainda mais, desta vez de uma forma mais sistemática e contínua.

Todavia, este livro tem outra motivação. A despeito da visibilidade do assunto, o espaço para que se discutam e se apresentem discussões relativas aos aspectos metodológicos do estudo da história da Educação Física e do Esporte não tem sido dos maiores. Nos periódicos ainda não é comum encontrar artigos desta natureza. Também os excelentes livros recentemente publicados ligados ao assunto não se dedicam a discutir efetivamente o enfoque acima, embora, sem sombra de dúvida, tenham suas contribuições. Obviamente não se pode cobrar tais respostas destes livros, afinal eles não foram escritos para tal.

Desta forma, este livro não pretende 'contar uma história'; não pretende essencialmente discutir aspectos históricos de determinado assunto. O seu assunto e sua motivação é a História e seu estudo em si. Pretende, logo, contribuir para que se possa 'contar a história'. Pretende falar um pouco de como e do porque do 'contar a história'. Pretende, enfim, pretensiosamente colaborar para que se 'contem mais e melhores histórias'. Isso não significa, contudo, apresentar modelos ou acreditar que por si só é suficiente para responder definitivamente às perguntas que tanto nos incomodam. É somente o ponto de vista, a reflexão sistemática e o compromisso de um pesquisador. Sua pretensão, repito, é a da contribuição e do estímulo ao debate.

Não é fato dos mais incomuns um autor reunir seus textos já publicados em outros lugares em um livro-coletânea. Nesta publicação, entretanto, optei por reorganizar alguns textos. Fundir alguns escritos e apresentá-los em momentos diferentes de reflexão. Agrupá-los por discussão congênere. Redimensionar alguns de seus sentidos e termos. Eliminar, na medida do possível, o que se repete entre os textos. Esta reorientação não os torna inéditos; nem tem a pretensão de fazê-lo.

Algumas repetições serão ainda assim identificadas. Peço desculpas aos leitores, mas não poderia ser diferente, já que fazem parte de um processo contínuo, constante e progressivo de compreensão. Provavelmente quando este livro for publicado novas reflexões já estarão em andamento. Faz parte da instabilidade natural e desejável de qualquer pesquisador.

Há também a possibilidade do leitor identificar algumas disparidades, principalmente no que se refere ao estilo da escrita, afinal foram escritos em momentos diferentes de vida. Mas creio que nenhum deles está suficientemente ultrapassado ou tenha qualidade muito inferior. De fato, optei por não incluir os textos muito diversos ou estudos de outra natureza, que ficarão, quem sabe, para outra oportunidade.

A partir destas considerações a obra ficou assim constituída:

* Uma introdução, onde apontei alguns problemas e discuti a validade do estudo da História da Educação Física e do Esporte no âmbito da formação profissional em Educação Física.

* Na primeira parte, um capítulo que se dedica a proceder uma análise historiográfica do que foi produzido sobre o assunto. Isto é, na própria "história de nossa História" identifico especificidades e possíveis problemas, para que, compreendendo nosso panorama de produção, possamos colher perspectivas de caminhada e indicadores de avanço.

* Na segunda parte, quatro capítulos apresentam peculiaridades, preocupações e experiências no que se refere a utilização de fontes em nossos estudos históricos. No primeiro capítulo desta parte, discute-se a precariedade da utilização de fontes diversas em nossos estudos, bem como preconiza-se a necessidade de incrementar iniciativas no sentido de catalogar e ampliar nossas fontes, apresentando também algumas experiências já desenvolvidas (ou em desenvolvimento) nesse sentido. A arte popular como fonte é o assunto do outro capítulo, onde apresento uma experiência desenvolvida tendo como base a obra do compositor Noel Rosa, das décadas de 20 e 30. No próximo capítulo, discuto as possibilidades que as biografias, e indiretamente o uso da História Oral, podem apresentar para a história da Educação Física e do Esporte, a partir do exemplo de um estudo já realizado. Por fim, apresento o uso de jornais como fontes férteis numa experiência desenvolvida por um grupo por mim coordenado.

* No apêndice, de forma informativa, alerto sobre a necessidade e apresento aos leitores algumas possibilidades que os recursos da Internet nos oferecem para o estudo da História da Educação Física e do Esporte. A

Internet é cada vez mais, sem sombra de dúvida, um mecanismo que auxilia o trabalho do pesquisador, sendo já imprescindível o conhecimento de suas potencialidades. É, de fato, uma forma de estar em contato com o que de mais recente se tem produzido no mundo sobre o assunto.

Quero ainda declarar que assumo as precariedades de algumas das reflexões apresentadas. Possivelmente também reflexo de uma subárea que, a despeito de sua longa existência, apenas recentemente tem despertado nos pesquisadores um interesse mais aprofundado. Com isso não estou a solicitar a complacência do leitor. Muito pelo contrário, desejo sua feroz crítica. Somente aí este livro terá alcançado minimamente seus intuitos.

Para terminar esse já longo prólogo, gostaria de citar algumas palavras de Eric Hobsbawn (1998)[1]:

> "... a História está empenhada em um projeto intelectual coerente, e fez progressos no entendimento de como o mundo passou a ser como é hoje. Naturalmente não quero sugerir que não se possa ou não se deva distinguir entre história marxista e não marxista, apesar da heterogeneidade e imprecisão da carga que os dois recipientes carregam. Historiadores na tradição de Marx — e isso não inclui todos os que assim se intitulam — têm uma contribuição importante a fazer para esse esforço coletivo. Mas não estão sozinhos. Nem deveria ser o seu trabalho, ou o de quem quer que seja, ser julgados pelas etiquetas políticas que eles ou outros afixam em suas lapelas" (p. 10).

Estas palavras, que a princípio podem parecer soltas e gratuitas, são na verdade uma clara mensagem aos que têm se envolvido com o 'movimento' recente da História da Educação Física e do Esporte. Mais ainda, resume o sentido de minhas convicções, de minha atuação e, como não dizer, de minhas angústias.

Espero que esse livro possa ser útil e uma leitura agradável para todos.

---

1 Hobsbawn, Eric. *Sobre História*. São Paulo: Companhia das Letras, 1998.

INTRODUÇÃO

POR QUE DEVEMOS ESTUDAR A HISTÓRIA DA EDUCAÇÃO FÍSICA E DO ESPORTE NOS CURSOS DE GRADUAÇÃO?

Por que *temos* que estudar história[2] em um curso de graduação em Educação Física? É possível que esta pergunta já tenha sido diversas vezes pronunciada entre alguns estudantes e professores dos diversos cursos superiores ligados à formação do professor de Educação Física espalhados pelo Brasil. Afinal, em que o estudo da história estaria a contribuir na formação do futuro professor? Haveria realmente espaço e necessidade de uma disciplina específica para estudos desta natureza? Esta breve reflexão, surgida no decorrer de minhas recentes experiências enquanto pesquisador na área de História da Educação Física e do Esporte, objetiva, a partir de uma determinada compreensão de formação profissional, argumentar sobre a importância dessa disciplina e desses estudos para os estudantes de graduação e professores de Educação Física.

Alguns argumentos podem ser levantados na tentativa de entender o que está em torno do questionamento inicial e de uma possível desvalorização da História nos cursos de graduação em Educação Física. Poderíamos, por exemplo, levantar o problema da afinidade da área de conhecimento. Argumentaria-se que aqueles que vêm cursar a graduação em Educação Física normalmente não se identificariam com disciplinas ligadas às ciências humanas/sociais, estando suas preferências voltadas às ciências exatas e/ou biológicas. Poderia-se também sugerir que significativa parte das faculda-

[2] Neste livro sempre que utilizar o termo **História,** com inicial maiúscula, estarei me referindo a uma disciplina, a um campo de estudo. Já **história,** com inicial minúscula, quer significar os acontecimentos históricos estudados pela disciplina História.

des/institutos de Educação Física estão ligados a centros/departamentos da área biomédica e que, normalmente, os vestibulares para ingresso em tais faculdades/institutos privilegiariam disciplinas como a Física, a Química e a Biologia.

Este seria um caminho bastante perigoso. Correríamos o risco de referendar uma visão pautada no senso comum, partindo de um antigo estereótipo de aluno que vem buscar os cursos superiores de Educação Física e desconsiderando algumas importantes mudanças na formação do professor e no perfil do estudante da área, pronunciadamente perceptíveis nos últimos quinze anos.

Um outro caminho nos parece mais interessante, até por privilegiar discussões mais diretamente relacionadas ao assunto central deste texto. Os questionamentos iniciais, indubitavelmente, expressam um certo desconforto e refletem uma impressão geral de dúvida. E de fato este não tem sido um assunto discutido prioritariamente: por que existem disciplinas diretamente ligadas à História em cursos de graduação em Educação Física?

Ao observarmos, por exemplo, os trabalhos constantes nas coletâneas dos cinco encontros nacionais já realizados especificamente para discutir a História da Educação Física e do Esporte, percebemos que bem poucos trabalhos expressam tal preocupação. Na verdade, somente uma mesa redonda realizada no primeiro destes encontros se aproximou mais efetivamente desta discussão. A falta de discussões desta natureza não contribui, inclusive, no estímulo à busca de iniciativas ligadas ao redimensionamento do ensino da disciplina, além de corroborar com as inexatidões no que se refere à sua existência na estrutura curricular.

Basta ver, por exemplo, que, mais do que gostaríamos e embora existam louváveis exceções, o ensino da História nos cursos de Educação Física muitas vezes se resume na apresentação dos chamados *conteúdos clássicos*. Apresenta-se uma série de nomes e fatos eleitos como relevantes, enquadrados no interior de períodos consagrados tradicionalmente e importados da História Geral (Grécia Antiga, Roma, Idade Média etc.), a partir de uma ausente, confusa ou não consciente compreensão historiográfica. Ou, tão complicada quanto a abordagem anterior, estimula-se uma suposta crítica de alguns fatos, sem que se preocupe especificamente com a natureza de tal crítica e com sua adequação a uma disciplina que pretende trabalhar os aspectos históricos.

Isto não parece ser verdadeiro somente na realidade nacional. Roberta J. Park (1987)[3] afirma que nos Estados Unidos, onde o estudo da História da

---

[3] Park, Roberta J. Sport History in the 1990's: Prospects and problems. *In*: Safrit, Margaret J.; Eckert, Helen M. *The cutting edge in Physical Education and exercise science research.* Champaign: Human Kinetics, 1987.

Educação Física e do Esporte já está bastante avançado, os professores de Educação Física, que se envolvem com a docência de disciplinas ligadas a esta subárea de estudo, não têm demonstrado conhecimentos metodológicos adequados. Park afirma ainda que tais professores acabam recebendo menores cobranças para melhoria de seus cursos, já que grande parte dos alunos está mais interessada em disciplinas ligadas a área biomédica. Esta situação se propaga por gerações, sem que a História venha a ser devidamente valorizada.

Enfim, os avanços recentes das pesquisas históricas na área ainda não parecem ter contagiado o contexto geral do ensino da História nos cursos de graduação, nem tampouco estimulado profusos debates acerca de seu espaço e "utilidade". Tal espaço, então, tem se mantido simplesmente pela força da tradição, pois sempre existiram disciplinas ligadas ao ensino da história nos diversos cursos de formação profissional na Educação Física brasileira no decorrer do tempo.

Ao observarmos um pouco da história desses cursos de formação, veremos que antes mesmo da efetivação do primeiro curso, em propostas que não passaram de projetos, já se pensava em uma disciplina específica para discutir os aspectos históricos da Educação Física e do Esporte. Ao observarmos a grade curricular, por exemplo, das Escolas de Educação Física do Espírito Santo, de São Paulo e da Escola de Educação Física do Exército (EsEFEx) podemos confirmar tal assertiva. Vamos tomar aqui um exemplo significativo: a situação da grade curricular na Escola Nacional de Educação Física e Desportos (ENEFD)[4].

Desde sua criação, em 1939, foi dedicada uma cadeira ao estudo da história. Compreendendo o contexto das disciplinas naquela Escola, podemos levantar o provável espaço, identificar o possível *status* e inferir sobre seu significado no âmbito da formação profissional na ENEFD.

Com a aprovação do regimento interno, em 1941, ficava referendada uma distinção clara entre *cadeiras teóricas*, onde se situava a cadeira de História, e *cadeiras práticas*. Deve-se observar que os professores das cadeiras teóricas deviam atender a algumas exigências dispensadas para os das cadeiras práticas. Além de terem nível superior, a grande parte das cadeiras teóricas somente poderia ser ocupada por médicos.

---

[4] Esta Escola não foi a primeira na área, mas teve uma importância fundamental, inclusive por ser a primeira ligada a uma universidade (a Universidade do Brasil). Além disso serviu de modelo para as outras escolas de Educação Física já existentes e para aquelas a serem criadas. Maiores informações podem ser obtidas no estudo: MELO, VICTOR ANDRADE DE. *Escola Nacional de Educação Física e Desportos — uma possível história*. Campinas: Unicamp, 1996. Dissertação (Mestrado em Educação Física).

É interessante ressaltar que um prestígio diferenciado era destinado às cadeiras, gozando de maior prestígio as cadeiras teóricas, destacadamente as médicas[5]. Assim, a cadeira de 'História e Organização da Educação Física e Desportos' ocupava um lugar e gozava de um prestígio intermediário, já que embora fosse teórica, era não-médica[6].

Independente da flagrante dicotomização teoria-prática, as disciplinas tinham em comum o fato de serem orientadas diretamente para a formação de um profissional inicialmente considerado mais como um *técnico* do que como um *professor* (Faria Júnior, 1987)[7]. As disciplinas estavam preocupadas em apresentar verdadeiros modelos de atuação, que tivessem utilidade operacional técnica direta. A partir desta compreensão é possível inferir que o prestígio da cadeira de História reduzia-se, por ser considerada de uma *utilidade prática menor*.

Curioso observar como essa representação ficava denotada mesmo em algumas falas dos professores da cadeira. No relatório da cadeira de 'História e Organização da Educação Física' referente ao primeiro ano de existência da ENEFD, o professor Orlando Eduardo Silva, primeiro professor da disciplina, afirma em certo momento[8]: "*Embora não constituindo matéria essencial à formação dos diferentes especialistas...*"[9].

É provável que reflexos desta situação ainda sejam notáveis. Qual é a *aplicabilidade* da História da Educação Física e do Esporte? Aquele aluno que se interessar mais diretamente pela atuação escolar, vai procurar e encontrar em cadeiras ligadas à pedagogia indicadores para uma *aplicação prática* melhor. Aqueles que se interessarem pelo treinamento desportivo podem encontrar na Fisiologia, na Biomecânica, entre outras, caminhos para uma *prática efetiva*. Mas afinal, e a História? Qual sua contribuição para a *prática*?

Tal entendimento não pode de forma alguma estar desvinculado da com-

---

[5] Aquelas em que compulsoriamente os professores deviam ser médicos. Maiores informações podem ser obtidas no estudo de Melo (*ibid.*).

[6] Observo que embora o professor da cadeira não fosse obrigatoriamente médico, existiram médicos que a ocuparam. Um de seus professores, inclusive, foi o médico Aluísio Aciolli.

[7] Faria Júnior, Alfredo Gomes de. Professor de Educação Física, licenciado generalista. *In*: Oliveira, Vitor Marinho de; Faria Júnior, Alfredo Gomes de (orgs.). *Fundamentos Pedagógicos da Educação Física — 2*. Rio de Janeiro: Ao Livro Técnico, 1987.

[8] Esse relatório pode ser consultado no estudo: Pintor, José Luiz Marques. *A criação da Escola Nacional de Educação Física e Desportos da Universidade do Brasil e sua inserção na política do Estado Novo*. Rio de Janeiro: UFRJ, 1995. Dissertação (Mestrado em Educação Física).

[9] A cadeira realmente só logrou um desenvolvimento e uma respeitabilidade maior quando Inezil Penna Marinho assumiu a cátedra. Ver maiores informações no capítulo I desse livro.

preensão do contexto da formação. Significativamente, o desenvolvimento da formação profissional na Educação Física brasileira foi pautada por este tipo de *preocupação prática*. E, mesmo que de maneira diferenciada, tal *preocupação* ainda persiste, embora existam consideráveis reflexões e movimentos contrários. Sem dúvida, esta concepção é uma das responsáveis por relegar à História uma restrita função e responsabilidade.

Isto é, se acharmos que a formação e a preparação profissional em nível superior tem o único intuito de dar fórmulas fechadas, soluções lineares, modelos de atuação a serem seguidos inquestionavelmente, a História tem realmente uma duvidável validade e relevância. Dentro desta perspectiva, suas funções se restringiriam à mera informação despretensiosa, um objeto de curiosidade ou a, distorcidamente, justificar o presente.

Assim, não fica difícil compreender o desconforto existente. Desenvolve-se um imaginário em torno da disciplina, plenamente referendado pelo contexto da formação, que acaba por se relacionar a algo enfadonho (*"porque tenho que decorar tantas datas e nomes"*), completamente fora do contexto do curso (*"eu não estou fazendo Educação Física para estudar história"*) e sem sentido por não ter *aplicabilidade prática* (*"eu nunca vou usar essas coisas quando estiver trabalhando"*).

Veja bem que não estamos dizendo que a *prática* não é importante, mas sim que a graduação deve preparar para a atuação profissional não através de fórmulas e modelos fechados. A graduação deve dar condições, por meio de uma preparação teórica aprofundada, para que o aluno possa recriar constantemente sua atuação, a partir da compreensão da realidade que o cerca, dos valores em jogo, das especificidades da atuação e das possibilidades de que pode dispor para alcançar seus objetivos. A graduação estaria preocupada em preparar o aluno para pensar/repensar sua atuação, entendendo que há a necessidade de uma compreensão teórica por trás de toda atuação, que nunca é só prática, mais indissociadamente teórico-prática.

Existiria nesta compreensão um outro sentido para a História da Educação Física e do Esporte. A História, talvez das disciplinas mais teóricas do currículo, encontraria uma original possibilidade de contribuição, obviamente não mais podendo ser abordada segundo os ultrapassados padrões que ainda prevalecem. Percebe-se, logo, que estas reflexões introdutórias não são "pura perda de tempo", mas o aproveitamento de um espaço que permite ser possível compreender historicamente os problemas. Que permite que passemos algumas páginas discutindo as injunções históricas de nosso questionamento inicial e central: mas, afinal, por que devemos estudar a História da Educação Física e do Esporte?

Pensamos que não seria possível responder adequadamente esta pergunta se não nos reportarmos aos domínios do campo de conhecimento da historiografia/Teoria da História. Como inspiração teórica para buscar a resposta, optamos por selecionar uma afirmação de Karl Marx. Ao utilizar este autor, não estamos fazendo uso de suas palavras somente para ressaltar seu sentido político/ideológico ou somente considerando o aspecto geral de sua contribuição para o desenvolvimento da História. Suas palavras também são utilizadas na medida que podem contribuir para a reflexão sobre alguns possíveis significados, sentidos, enfim, "utilidades" do estudo da História.

Marx afirma (1974)[10]:

> "Os homens fazem sua própria história, mas não fazem como querem, não a fazem sob a circunstância de sua escolha e sim sob aquelas que se defrontam diretamente, ligadas e transmitidas pelo passado" (p. 17).

Parece-nos que um primeiro apontamento a ser levantado estaria ligado à efetiva atuação do homem na construção do mundo que o cerca, na transformação de sua sociedade. De fato, quando falamos em História, estamos a falar da história dos homens e de suas construções sociais, da sua atuação e sua interferência na sociedade. A História nos ajuda a entender que o homem teve e tem uma ação concreta: o que temos atualmente foi construído e não fruto exclusivo do acaso, tampouco estava escrito em um "livro dos destinos". Todos, querendo/sabendo ou não, fazemos parte da história. Ao mesmo tempo somos e fazemos história.

Mas isto não significa que tenhamos todas as possibilidades de fazermos a história da forma que desejamos e imaginamos. Existe uma série de barreiras, impedimentos, condicionantes sociais que muitas vezes nos impedem de seguir plenamente um caminho traçado. Dentro da prática social se apresentam outros caminhos, em um processo cotidiano do qual nem sempre tomamos consciência profunda. Parece que aí percebemos um segundo apontamento nas palavras de Marx: o passado também estabelece condicionantes. Condições a que temos de nos reportar no presente, situações construídas no decorrer do tempo. Assim, todos temos um passado que, de alguma maneira, influencia diretamente em nossas ações presentes. E o estudo da história nos ajuda a entender melhor essas condições que nos cercam; as possíveis injunções do passado no presente.

Com isto não estamos a afirmar que exista uma relação linear e simplista de causa-consequência a ser desvendada. Muito pelo contrário, devemos tomar cuidado com esta compreensão. O presente não é a soma dos passados, guarda suas especificidades, seus próprios condicionamentos, que

---

[10] MARX, KARL. *O 18 Brumário e cartas a Kugelmann*. Rio de Janeiro: Paz e Terra, 1974.

possivelmente só vamos poder entender melhor, pelo menos historicamente, em algum momento futuro. É inegável que o presente e o passado guardam uma relação, mas a História só está habilitada a "lançar luz", auxiliar junto com outras disciplinas (Sociologia, Antropologia etc.) à busca de uma compreensão maior, sem a pretensão de estabelecer "verdades absolutas/ inquestionáveis".

A História, enfim, tem uma contribuição original. O fato de buscarmos uma crítica do presente através do conhecimento histórico não significa, todavia, que *a priori* ela deva se submeter às compreensões ideológicas. A História tem um caminho para contribuir na compreensão da sociedade que se diferencia (e deve se diferenciar), embora não se negue a dialogar, de outros campos do conhecimento.

E qual seria então a relação da História com o futuro? Seria possível "planejar o futuro" a partir do exercício histórico? Se o estudo do passado guarda uma relação relativa com o presente, mais relativa ainda é sua relação com o futuro. O máximo que podemos fazer a partir do estudo histórico é levantar algumas tendências, apresentar algumas possibilidades, "lançar uma luz ainda mais tênue", mas de forma alguma afirmar, em um exercício irresponsável de futurologia, a exatidão dos acontecimentos futuros.

Algumas "utilidades" ainda merecem ser destacadas. Uma delas é a contribuição para o estudo da sociedade a partir do exemplo efetivo que vem tentando dar de interdisciplinaridade e rompimento dos rígidos limites epistemológicos. Entre as ciências sociais, a História tem se apresentado entre as que mais tem procurado o diálogo com outras áreas do conhecimento, como a Sociologia (hoje um diálogo menor) e a Antropologia e a Linguística (hoje muito fértil, delineando o que tem sido chamado de História Cultural)[11].

Não pode ser descartada sua contribuição no conhecer e manter das tradições que se estabeleceram. Por si só, o patrimônio construído por nossos antepassados merece ser resguardado, inclusive pelo impacto que ocasiona na memória da sociedade. Além de sua contribuição, por sua própria natureza, no desenvolvimento e estímulo de forças transformadoras e questionadoras das estruturas sociais.

Logo, a disciplina História da Educação Física e do Esporte mais do que apresentar fatos de forma descontextualizada ou desenvolver uma *pseudocrítica* sobre esses fatos, deveria estar preocupada em oferecer ao aluno a

[11] Essas discussões podem ser melhor compreendidas nos estudos: Burke, Peter. *A Escola dos Annales*. São Paulo: UNESP, 1991; Burke, Peter. *A escrita da História*. São Paulo: UNESP, 1992; Le Goff, Jacques. *História e Memória*. Campinas: Edunicamp, 1990; Hunt, Lyhn. *Nova História Cultural*. São Paulo: Martins Fontes, 1992.

possibilidade de aprender a compreender historicamente um problema, tendo como base as especificidades que ele irá encontrar em seu exercício profissional e como referência para desenvolver tal compreensão os elementos da crítica histórica colhidos no âmbito da historiografia/Teoria da História.

Enfim, a pesquisa em História da Educação Física e do Esporte tem avançado muito, como veremos nos próximos capítulos. Mas este avanço não pode se limitar a pesquisa em si, devendo também ser incorporado no âmbito das disciplinas dos cursos de graduação, levando os alunos, e futuros professores, a perceberem melhor a importância do conhecimento histórico para sua práxis profissional. Bem possivelmente, se os professores da disciplina incorporarem esta nova forma de pensar, aliada com estratégias pedagógicas adequadas, seu ensino se tornará mais agradável e sua importância mais reconhecida no contexto dos cursos de graduação em Educação Física.

PRIMEIRA PARTE

Reflexões sobre o estudo da História da Educação Física e do Esporte no Brasil

CAPÍTULO I

HISTÓRIA DA EDUCAÇÃO FÍSICA E DO ESPORTE NO BRASIL — PANORAMA, PERSPECTIVAS E PROPOSTAS —

Na historiografia brasileira não são usuais os estudos que se dedicam a discutir profunda e especificamente as peculiaridades do Esporte e da Educação Física. Mais ainda, aparentemente esses dois objetos não têm sido considerados como relevantes para a compreensão de nossa sociedade; ao contrário de outros países, onde o Esporte já ocupa significativo espaço nos meios acadêmicos. Podemos perceber isto, por exemplo, na História Social Inglesa, onde tem sido considerado um importante objeto de estudo devido a grande dimensão que tem assumido na estrutura social e cultural[12]. Este destacado papel tem, inclusive, há algum tempo atraído a atenção e conduzido a cuidadosas reflexões de renomados intelectuais, como Eric Hobsbawn[13], um dos mais importantes historiadores ingleses vivos.

No Brasil, contudo, ainda (ou já) estamos dando os primeiros passos no sentido de tornar mais estruturado um grupo de pesquisadores interessados nos estudos históricos ligados à Educação Física e ao Esporte. Este artigo tem por objetivo apresentar um panorama desta atual estruturação, procu-

---

[12] Uma análise muito interessante neste sentido pode ser encontrada no estudo: HILL, JEFREY. British Sports History: a post modern future? *Journal of Sport History*, v. 23, n. 1, p. 1-19, 1996.

[13] Uma importante observação sobre a compreensão de Hobsbawn acerca da relevância do esporte no mundo contemporâneo é desenvolvida por J. A. Mangan na apresentação da série *International studies in the History of Sport*, publicada pela Manchester University Press (1992). Para o autor, Hobsbawn acredita que o esporte é uma das mais importantes práticas sociais do final do século XIX na Europa, importância notadamente crescente no decorrer do século XX.

rando apresentar: a) de que forma tais estudos têm sido desenvolvidos no decorrer do tempo (uma breve abordagem da história da História da Educação Física e do Esporte); b) como na atualidade nacional e internacional tem se apresentado a estruturação de tais estudos; c) os problemas que temos encontrado nesse desenvolvimento. Ao final, tento apontar algumas perspectivas e propostas, tendo claro que tal tarefa deve ser desenvolvida com cuidado extremo, para que não se confunda com um exercício irresponsável de futurologia.

Qual e como tem sido construída uma possível legitimidade acadêmica para a História da Educação Física e do Esporte no Brasil? Como têm se desenvolvido os estudos históricos em nossa área? Não se pode dizer que tais questionamentos sejam novidades. De alguma forma, mesmo que não explicitamente, têm sido discutidos nos Encontros Nacionais[14] e outros espaços dedicados a discutir a História da Educação Física e do Esporte no Brasil[15].

Tais questionamentos se ligam diretamente a discussões em torno da qualidade de nossa produção, de sua "validade" para a compreensão da Educação Física e do Esporte brasileiro, de sua "utilidade" para a compreensão da sociedade brasileira e do espaço que temos construído. Discussões fundamentais para que possamos "correr o risco" de levantar perspectivas; indicadores para sugerir direcionamentos para nossa atuação, na busca de torná-la mais adequada.

Este artigo, logo, não carrega em si a pretensão da originalidade absoluta. É, na verdade, a adequação de três outros artigos que escrevi, buscando possíveis perspectivas a partir da compreensão do atual momento de nossos estudos. Inicialmente procurei perspectivas em compreensões ligadas à história de nossa História[16]. Posteriormente, busquei aprofundar tais compreensões historiográficas[17]. Finalmente, procurei traçar paralelos entre nosso

---

[14] Já foram realizados cinco Encontros Nacionais específicos para discutir a História da Educação Física e do Esporte. O primeiro em Campinas (Unicamp-1993), o segundo em Ponta Grossa (UEPG-1994), o terceiro em Curitiba (UFPr-1995), o quarto em Belo Horizonte (UFMG-1996) e o quinto em Maceió (UFAl-1997).

[15] Por exemplo, no IX Congresso Brasileiro de Ciências do Esporte (Vitória-1995) foi realizada a oficina "A historiografia na Educação Física", conduzida pelo prof. Pedro Pagni.

[16] Melo, Victor Andrade de. História da História da Educação Física — perspectivas e propostas para a década de 90. *Revista Brasileira de Ciências do Esporte*, v. 16, n. 2, p. 134-138, jan./1995a.

[17] Melo, Victor Andrade de. Reflexão sobre a História da Educação Física no Brasil — uma abordagem historiográfica. *Movimento*, Porto Alegre, ano 3, n. 4, p. 41-48, 1996/1a.

"movimento" e o desenvolvimento internacional da História da Educação Física e do Esporte[18]. Neste artigo, objetivei desenvolver uma síntese desses estudos, vislumbrando apresentar o mais adequadamente possível esta nova subárea de estudo[19].

Duas considerações me parecem importantes introdutoriamente. Parece ser relevante e necessário definir o que estou chamando de "movimento" da História da Educação Física e do Esporte. E a melhor forma que encontrei foi buscando tal percepção na própria história de nossa História. Antes, todavia, cabe um breve esforço de definição das possíveis diferenças entre uma História da Educação Física e uma História do Esporte.

História da Educação Física e do Esporte: Diferenças

Haveria diferenças significativas entre a Educação Física e o Esporte para que suas histórias fossem estudadas separadamente? Ou ambos objetos poderiam ser estudados em uma única abordagem? Tais discussões ainda não foram efetivamente procedidas entre os estudiosos brasileiros, que invariavelmente têm preferido utilizar indistintamente o termo História da Educação Física e do Esporte. Internacionalmente, contudo, esta tem sido uma questão que tem merecido bastante cuidado.

Roberta Park (1987)[20], por exemplo, trabalha com o termo História do Esporte, não resumindo, contudo, tal compreensão às práticas esportivas, incluindo a Educação Física e mesmo outras manifestações da cultura corporal:

> "Eu quero deixar claro de início que considero História do Esporte uma categoria/expressão que inclui, no mínimo, lutas atléticas, atividades de recreação, e educação física, e se cruza com aspectos da medicina, biologia (...) e grande número de outros tópicos" (p. 96).

---

[18] Melo, Victor Andrade de. Encontros Nacionais e o "Movimento" da História da Educação Física/Esporte no Brasil — perspectivas internacionais. *In*: Rodrigues, Marilita Aparecida Arantes. Encontro Nacional de História do Esporte, Lazer e Educação Física, 4, Belo Horizonte, 1996b. *Coletânea*. p. 393-402.

[19] Penso que, mais do que uma temática possível de abordagem histórica, temos observado a construção de uma subárea de estudo. Desenvolverei melhor tal raciocínio no decorrer do artigo.

[20] Park, Roberta J. Sport History in the 1990's: Prospects and problems. *In*: Safrit, Margaret J., Eckert, Helen M. *The cutting edge in Physical Education and exercise science research*. Champaign: Human Kinetics, 1987.

Já na Dinamarca, a sociedade de História do Esporte resolveu utilizar uma denominação com sentido bastante aproximado a de Park[21]:

> "O acordo alcançado foi: Sociedade Dinamarquesa de História do Esporte – Corpo e Cultura; um nome que apropriadamente abriga uma vasta aproximação para história do esporte e cultura corporal que a associação tem posto em prática" (TRANGBAEK, 1995, p. 15).

Na Grã-Bretanha, as discussões parecem caminhar em sentido diferenciado. Alguns historiadores britânicos tem criticado a carência de um rigor maior na definição do que pode ou não ser considerado como Esporte. Embora suas preocupações normalmente estejam dedicadas ao esporte moderno[22], isto não exclui o estudo de manifestações pré-esportivas ou de esportes primitivos e primários (HILL, *op. cit.*)[23].

Nos alinhamos mais com esta última posição. Compreendemos que a Educação Física e o Esporte são objetos diversos que vão solicitar alguns caminhos metodológicos e preocupações teóricas diferentes. Seus compromissos e sua construção têm sentidos bastante diferenciados, embora existam pontos de tangência e relação.

Contudo, a despeito da relativa diversidade, defendemos que as disciplinas, discussões e os encontros específicos continuem a ser dedicados tanto a História da Educação Física quanto a História do Esporte, inclusive para que possamos entender melhor as relações que historicamente se estabeleceram entre os objetos. Devemos, no entanto, ressaltar as diferenças necessárias nas abordagens a serem realizadas.

Vejamos um pouco da história da História da Educação Física e do Esporte. Isto pode nos ajudar a compreender suas diferenças e nos apontar a peculiaridade de um novo momento nesses estudos: um novo "movimento".

---

21 TRANGBAEK, ELSE. Danish Society for History of Sport. *ISHPES — Bulettin*, n. 3, set./96.

22 Existem vários conceitos de esporte. Particularmente tenho trabalhado com o conceito de campo esportivo, a partir das reflexões do sociólogo francês Pierre Bourdieu. Uma noção inicial deste conceito pode ser obtida em: BOURDIEU, PIERRE. Como é possível ser esportivo? *In*: *Questões de Sociologia*. Rio de Janeiro: Marco Zero, 1983.

23 HILL, JEFREY, 1996, *op. cit.*

História da História da Educação Física e do Esporte

A primeira fase

Podemos considerar o desenvolvimento dos estudos históricos na Educação Física brasileira dividindo-o em três fases marcadas, além de suas diferentes características, por autores que se destacam e, de alguma forma, sintetizam em suas obras as características da referida fase.

A primeira fase é marcada pelo caráter embrionário de desenvolvimento dos estudos. Nesta fase, onde a produção nacional era pequena, a utilização de livros importados era notável. Destacam-se os livros de Laurentino Lopes Bonorino e colaboradores (1931)[24], primeira publicação específica do gênero escrita no Brasil, e as contribuições de Fernando de Azevedo. Ambos tinham suas preocupações mais voltadas para os aspectos históricos da ginástica enquanto forma de "educação do físico", com ênfase nas compreensões e abordagens de caráter mundial. Azevedo merece destaque maior, pela natureza de suas preocupações com a História e por sua contribuição para o desenvolvimento de estudos na área.

É importante entender que a preocupação básica de Fernando de Azevedo para com a História estava em utilizá-la como forma de apresentar os métodos e sistemas europeus de Educação Física, vislumbrando definir o mais adequado a ser adotado no Brasil (Pagni, 1995)[25]. Isto é, Azevedo buscava subsídios na história da Educação Física, assunto que manifestadamente era de seu gosto, para defender a utilização do método sueco de ginástica, desencadeando resistências ao método alemão, bastante influente e presente nos primórdios da Educação Física nacional.

Seu conceito de História estava ligado a uma discussão sobre a busca das origens da evolução da Educação Física e dos Esportes (*ibid.*). Tais preocupações explicitam bem uma visão dos acontecimentos históricos que, encarados enquanto um progresso linear, servem para legitimar e explicar plenamente o presente.

A obra de Azevedo, que muitas vezes nem mesmo tem sido considerada como uma fonte possível para compreender o estudo da história, devido ao seu caráter sociológico pronunciado, lança as bases de uma abordagem

---

[24] Bonorino, Laurentino Lopes *et alli*. *Histórico da Educação Física*. Vitória: Imprensa Oficial, 1931.

[25] Pagni, Pedro. História da Educação Física no Brasil — notas para uma avaliação. *In*: Ferreira Neto, Amarílio *et alli*. *As ciências do esporte no Brasil*. Campinas: Autores Associados, 1995. p. 149-163.

historiográfica que, com idas e voltas, impregnará nossos estudos: a utilização bem restrita de fontes; um caráter "militante", a história servindo para provar e legitimar algo já previamente estabelecido irreversivelmente; a preocupação central exacerbada com o levantamento de datas, nomes e fatos; uma história pautada única e exclusivamente na experiência de grandes expoentes; uma história que não busca uma periodização interna, preferindo se vincular a periodização política geral; uma história traçada superficialmente em longos períodos.

De fato, pode-se considerar que no momento dessa produção a forte influência do positivismo ainda imperava, relegando à História uma função descritiva-factual. Os movimentos de redimensionamento dos estudos históricos, como a influência do marxismo e as propostas da Escola dos Annales, apenas eram embrionários no cenário mundial (Burke, 1991)[26], tanto mais no Brasil. Assim, de alguma forma é compreensível que sua obra estivesse adequada a tais padrões[27].

Curioso observar que, nesta época, já há algum tempo existiam preocupações com a história do Esporte no Brasil. Tais preocupações eram, no entanto, identificadas fora dos circuitos acadêmicos tradicionais. Os estudos eram normalmente escritos por antigos praticantes e/ou apaixonados pelos determinados esportes, muitas vezes jornalistas que acompanharam de perto o desenvolvimento da modalidade. Exemplos disto são os livros de Alberto B. Mendonça (1909)[28], sobre história dos esportes náuticos; e os livros de Thomaz Rabello (1901)[29] e E.P. (1893)[30], sobre o turfe. Este último autor deixa-nos um relato bastante instigante em seu livro, expressando as preocupações que já existiam em se resguardar a história das recentes práticas esportivas no século XIX[31]:

> "Mais vale tarde do que nunca. Já não é cedo para se escrever a história do *turf* nacional, história que, na falta de testemunhas ocula-

---

[26] Burke, Peter. *A Escola dos Annales*. São Paulo: UNESP, 1991.

[27] Entre as obras de Azevedo, é das mais interessantes a obra *Da educação física: o que ela é, o que tem sido e o que deveria ser*, publicada pela primeira vez em 1920, mas com reedição de 1960 (Editora Melhoramentos) disponível em muitas bibliotecas do país.

[28] Mendonça, Alberto B. *História do sport náutico no Brazil*. Rio de Janeiro: s.n., 1909.

[29] Rabello, Thomaz. *História do Turf no Brasil*. Rio de Janeiro: Leuzinger, 1901.

[30] E.P. *Crônicas do turf fluminense*. Rio de Janeiro: s.n., 1893.

[31] Maiores informações sobre as práticas esportivas no século XIX podem ser obtidas no estudo: Melo, Victor Andrade de. Turf: o esporte brasileiro no século XIX. *In*: Encontro Nacional de História do Esporte, Lazer e Educação Física, 3, Curitiba, 1995b. *Coletânea*. p. 444-451.

res e de documentos já hoje raríssimos, poderá ser para o futuro adulterada" (p. 3).

As características destas obras se alinhavam perfeitamente com as que levantamos para a obra de Azevedo. Os autores, no entanto, não pareciam querer defender ou provar nada, mas simplesmente guardar fatos e datas para que não se perdessem com o tempo. Uma visão em nada desalinhada com as perspectivas historiográficas de seu tempo. De fato, este tipo de obra, ligada à história dos esportes, escrita por não acadêmicos e sem outra preocupação do que o resguardo de informações, até hoje pode ser encontrada, inclusive com características semelhantes as de então.

Somente em 1996, quando foram realizados os Jogos Olímpicos, pelo menos quatro livros dessa natureza foram lançados: *De Atenas a Atlanta – 100 anos de Olimpíadas* (Ed. Scritta), de Maurício Cardoso; *Olimpíada 100 anos – História Completa dos Jogos* (Círculo do Livro e Nova Cultural), de Sílvio Lancellotti; *Todos os Esportes do Mundo* (Makron Books), de Orlando Duarte; e *Guia dos Curiosos/Esporte* (Cia. das Letras), de Marcelo Duarte. Podemos observar procedimento semelhante também quando clubes esportivos completam tempo significativo de vida, como recentemente por ocasião do centenário do Clube de Regatas do Flamengo, no Rio de Janeiro.

A segunda fase

Voltemos à História da Educação Física. Uma segunda fase é marcada pelo início de uma produção e preocupação maior com os estudos históricos, tanto nos aspectos qualitativos quanto nos quantitativos. Neste período temos que ressaltar a magnífica obra de Inezil Penna Marinho, sem dúvida um dos maiores, senão o maior, estudioso da história da Educação Física e do Esporte no Brasil. Sua influência foi tão grande que chegou a homogenizar as abordagens no trato para com esta disciplina no Brasil (Castellani Filho, 1988)[32]. Sua obra não significou uma completa ruptura com as características da fase anterior, mas não se pode negar uma sensível diferença, principalmente no que se refere à profundidade teórica da abordagem historiográfica.

A obra de Inezil apresenta uma qualidade teórica e metodológica destacável. Sua obra, sem dúvida, é um exemplo de estudo histórico bem de-

[32] Castellani Filho, Lino. *Educação Física no Brasil: a história que não se conta.* Campinas: Papirus, 1988.

senvolvido nos padrões da história documental-factual[33]. Suas diferenças começam em sua preocupação central com a história da Educação Física e do Esporte no Brasil, até então pouco abordada em estudos que preferiam uma abordagem mundial mais ampla; e passam pela sua incrível erudição e preparação teórica, que o leva, por exemplo, a utilização de fontes mais diversificadas: leis, teses da Faculdade de Medicina do Rio de Janeiro e de Pernambuco (além da Faculdade de Direito), livros pioneiros relacionados à área de Educação Física e Esportes, súmulas e resultados de competições esportivas, jornais e outros periódicos, livros sobre a História do Brasil, entre outras.

Embora apresente claras diferenças, algumas similaridades com a fase anterior ainda são observáveis: a periodização ainda é exterior ao objeto de estudo, isto é, ligada a periodização política nacional; suas obras ainda são um levantamento de datas, fatos e nomes, apresentados sequencialmente, ano após ano, sem uma preocupação maior com a análise crítica deste material; continua a apresentar uma "história oficial", onde os expoentes recebem lugar de privilégio absoluto.

Esse autor foi bastante criticado por alguns estudiosos da década de 80, devido as características de sua obra. Entretanto, poucos foram os que buscaram conhecer profundamente a vida e a obra de Inezil Penna Marinho[34], preferindo construir suas críticas em cima de um único livro[35], que era na verdade um resumo de outra obra de quatro volumes[36], esta também um desdobramento de estudo anterior.

Embora já viesse desenvolvendo e apresentando estudos sobre a história da Educação Física e do Esporte no Brasil desde 1940[37], foi em 1943 que lançou *Contribuições para a História da Educação Física e dos Desportos no Brasil*, editado pela Imprensa Nacional, a base de sua mais extensa e fa-

---

[33] Chamo de história documental-factual aquela que tem como objetivo central, e exclusivo, o levantamento de fatos, datas e nomes, sem a preocupação de análise crítica do material encontrado. Seria um conceito bastante próximo de história episódica ou *événementielle* (Burke, *op. cit.*).

[34] Recentemente a professora Célia Carvalho do Nascimento apresentou a dissertação de mestrado "Inezil Penna Marinho: o tempo de uma História" (1997) no programa de pós-graduação em Educação da PUC de São Paulo, preenchendo uma importante lacuna em nossa produção.

[35] Marinho, Inezil Penna. *História da Educação Física e dos Desportos no Brasil*. Rio de Janeiro: Ebal, 1980.

[36] Marinho, Inezil Penna. *História da Educação Física e dos Desportos no Brasil*. Rio de Janeiro: Imprensa Nacional, 1952/1953.

[37] Marinho, Inezil Penna. *Educação Física — estatísticas*. Rio de Janeiro: DEF/MES, 1940.

mosa obra: *História da Educação Física e dos Desportos no Brasil*, publicada em 4 volumes nos anos de 1952/1953 e republicada resumidamente em um volume, em 1980, devido à falta de obras ligadas ao assunto. Estas são suas obras mais conhecidas, que merecem uma boa leitura. Mas não se pode compreender efetivamente a obra historiográfica de Marinho se não tivermos acesso a outras de suas obras menos conhecidas.

Seus artigos e discursos publicados nos "Arquivos da ENEFD"[38] estão entre suas obras mais marcantes no campo da História. Dos artigos, penso que entre os mais interessantes estão "Subsídios para a história da capoeiragem no Brasil" (1956a)[39] e "Contribuição para a história do futebol no Brasil" (1956b)[40], mas marcante e esclarecedor é seu discurso por ocasião de sua posse como catedrático da cadeira de História e Organização da Educação Física e Desportos da ENEFD (1958)[41] e também o discurso de paraninfo das turmas da ENEFD de 1953[42]. Influências e tendências claramente humanistas se destacam nesses textos e, sem dúvida, o destacavam no contexto da ENEFD e na Educação Física nacional como um todo.

No que se refere ao estudo e ensino da História da Educação Física e do Esporte, já manifesta preocupações e propostas bem mais elaboradas, iniciativas claras de mudança de rumo. Ao assumir a cátedra, Marinho deixa claro que pretende redimensionar o ensino de História, seja através de melhorias como a contratação de um tradutor para línguas clássicas, seja buscando torná-la mais crítica e menos preocupada com nomes e datas.

> "O importante no estudo da história, não é a memorização de fatos e datas, não é a fixação daquilo que os compêndios formalizaram e, algumas vezes, até padronizaram. Como professor de história desejo

---

[38] Os "Arquivos da ENEFD" eram o periódico oficial da Escola Nacional de Educação Física e Desportos, responsável por divulgar o resultado das pesquisas e as notícias ligadas àquela importante instituição de nível superior, primeira escola de formação na Educação Física brasileira a estar ligada a uma universidade (Universidade do Brasil), além de ser considerada como escola-padrão. Maiores informações podem ser obtidas no estudo: MELO, VICTOR ANDRADE DE. *Escola Nacional de Educação Física e Desportos — uma possível história.* Campinas: Unicamp, 1996c. Dissertação (Mestrado em Educação Física).

[39] MARINHO, INEZIL PENNA. Subsídios para a História da Capoeiragem no Brasil. *Arquivos da ENEFD*, Rio de Janeiro, ano 9, n. 9, p. 81-102, jan-jun./1956a.

[40] MARINHO, INEZIL PENNA. Contribuição para a história do futebol no Brasil. *Arquivos da ENEFD*, Rio de Janeiro, ano 9, n. 10, p. 41-45, jul-dez./1956b.

[41] MARINHO, INEZIL PENNA. Discurso de posse de çátedra de História e Organização da Educação Física e Desportos. *Arquivos da ENEFD*, Rio de Janeiro, ano 11, n. 12, p. 127-145, 1958.

[42] MARINHO, INEZIL PENNA. Discurso de paraninfo das turmas da ENEFD de 1953. *Arquivos da ENEFD*, Rio de Janeiro, ano 7, n. 7, p. 121-127, jan/1954.

suscitar em meus alunos o interesse que os leve à investigação dos fatos, ao aproveitamento das experiências por outros povos, a interpretação consciente dos dados oferecidos à sua razão" (1958, p. 143)[43].

Enfim, não é possível afirmar que houve uma mudança completa, nem tão pouco que Marinho promoveu todas as mudanças que anunciou, mas sua obra, sem dúvida, é de caráter marcante e de grande importância no aprofundar e valorizar dos estudos históricos no interior da Educação Física brasileira. Além de Marinho, queremos lembrar o nome de Jayr Jordão Ramos, outro autor muito interessante. Sua obra possui características semelhantes, mas suas abordagens se voltam mais para a Educação Física Mundial[44].

Devemos ressaltar que nas obras destes autores, os aspectos históricos dos Esportes já dividiam espaço com os ligados à Educação Física. Com certeza isto é um reflexo do crescimento da importância do esporte no âmbito da Educação Física, mas também na sociedade com um todo.

A despeito disso, as obras históricas ligadas exclusivamente à determinadas modalidades, com características de uma abordagem documental-factual, como anteriormente, continuavam a ser publicadas. Podem ser exemplificados os interessantes estudos de Adolpho Schermann (1954)[45], acerca de vários esportes no mundo e no Brasil, e de Cássio Costa (1961)[46], mais uma iniciativa ligada a história do turfe. Temos que destacar também os estudos de Mário Rodrigues Filho (1964)[47] sobre a história do futebol, já com um caráter bastante diferenciado e de transição.

Na verdade, o futebol progressivamente passou a ser um assunto fartamente estudado, devido a dimensão que ocupou na cultura brasileira, por estudiosos de diferentes áreas, já com concepções teóricas e posicionamentos críticos destacáveis. A título de exemplificação, e devido a proximidade com a História, citamos os recentes trabalhos de Joel Rufino dos Santos (1981)[48], José Carlos Meihy e José Sebastião Witter (1982)[49] e Waldenir

---

43 MARINHO, INEZIL PENNA, 1958, *op. cit.*

44 Embora desde a década de 60 já escrevesse artigos ligados à história, sua obra mais conhecida somente foi publicada na década de 80: RAMOS, JAIR JORDÃO. *Os exercícios físicos na história e na arte*. São Paulo: Ibrasa, 1982.

45 SCHERMANN, ADOLPHO. *Os desportos de todo o mundo*. Rio de Janeiro: A.A.B.B., 1954.

46 COSTA, CÁSSIO. *O turfe de outrora*. Rio de Janeiro: Vida Turfista, 1961.

47 RODRIGUES FILHO, MÁRIO. *O negro no futebol brasileiro*. Rio de Janeiro: Civilização Brasileira, 1964.

48 SANTOS, JOEL RUFINO DOS. *História política do futebol brasileiro*. São Paulo: Brasiliense, 1981.

49 MEIHY, JOSÉ CARLOS & WITTER, JOSÉ SEBASTIÃO. *Futebol e cultura: coletânea de estudos*. São Paulo: IMESP/DAESP, 1982.

Caldas (1990)[50]. Efetivamente, temos hoje muitos e bons estudos ligados a história do futebol[51].

A terceira fase

A terceira fase dos estudos históricos ligados à Educação Física e ao Esporte é marcada pela busca do redimensionamento das características dos estudos até então desenvolvidos, a partir fundamentalmente de uma crítica à obra de Marinho e de uma inspiração teórico-marxista, onde se destaca o estudo de Lino Castellani Filho (*op.cit.*)[52], hoje uma das obras mais lidas em nossa área. Nesse estudo, bastante influenciado pelas discussões peculiares à Educação Física da década de 80, o autor fundamentalmente objetivou recontar a história da Educação Física no Brasil dando ênfase ao desvelar dos aspectos ideológicos que estiveram por trás de tal desenvolvimento e percurso.

Embora as obras desta fase tenham significado uma importante mudança de enfoque, alguns problemas das fases anteriores continuariam persistindo, além de um novo problema ter emergido (ou reemergido): metodologicamente, no que se refere à História, as obras são mais confusas e incompletas.

A periodização continua a se submeter a especificidades exteriores ao objeto, além de referendarem uma impressão de continuidade e linearidade sempre tão presente em todas as fases anteriores; a história é entendida como responsável por explicar linearmente o presente, fato agravado por uma compreensão que parte do presente com hipóteses traçadas já basicamente confirmadas, o que praticamente faz forjar no passado os elementos necessários para provar a hipótese inicial; a exasperação da crítica ao caráter documental-factual das obras anteriores findou por muitas vezes no dispensar de datas, fatos e nomes, tão importantes em qualquer estudo historiográfico.

Além do estudo de Castellani Filho (*ibid.*), outros estudos se destacaram. O estudo de Mário Cantarino Filho (1982)[53] foi na verdade um marco inicial desta fase. Em sua dissertação de mestrado, Cantarino Filho procura analisar as relações entre a Educação Física e o Estado Novo, se destacando

---

[50] Caldas, Waldenyr. *Memória do futebol brasileiro*. Ibrasa: São Paulo, 1990.

[51] Maiores referências sobre tais estudos podem ser encontradas em: Genovez, Patricia de Falco & Melo, Victor Andrade de. Bibliografía brasileña sobre Historia de la Educación Física y del Deporte. *Lecturas: Educacion Física Y Deportes*, Buenos Aires, ano 2, n.10, 1998.

[52] Castellani Filho, Lino, 1988, *op. cit.*

[53] Cantarino Filho, Mário Ribeiro. *A Educação Física no Estado Novo: história e doutrina*. Brasília: UnB, 1982. Dissertação (Mestrado em Educação).

por uma abordagem crítica não observada até então nos estudos históricos em nossa área. Também não podemos deixar de citar o estudo de Paulo Ghiraldelli Júnior (1988)[54], que embora tenha uma ligação mais direta com a filosofia, foi bastante utilizado enquanto estudo histórico. Seu estudo apresentou uma periodização para entender a História da Educação Física no Brasil que teve grande influência e foi bastante utilizada.

Os estudos de Carmem Lúcia Soares (1990)[55] e Silvana Vilodre Goellner (1992)[56] ainda apresentam características aproximadas com os outros estudos desta terceira fase, mas já anunciam uma mudança de postura nos estudos históricos em nossa área.

A História da Educação Física e dos Esportes nos dias de hoje: um novo "movimento" no Brasil e o cenário internacional

Parece-nos, sem dúvida, mais difícil falar do momento em que estamos vivendo, até por estarmos fazendo diretamente parte dele. Mesmo sabedores dos riscos, tentaremos demonstrar que estamos vivendo um novo e bastante peculiar momento na estruturação dos estudos históricos ligados à Educação Física e ao Esporte no Brasil. Não queremos dizer com isto que tenhamos rompido completamente com as características das fases anteriores, mas que temos vivenciado uma grande movimentação. Um "movimento" de discussão estruturada, preocupações acadêmicas mais estabelecidas e com tendências crescentes de organização e desenvolvimento ainda não observadas anteriormente na Educação Física brasileira no que se refere a História. Isto tem refletido qualitativa e quantitativamente na produção científica.

Até a década de 80, os estudos históricos em nossa área se apresentavam como esforços isolados e quantitativamente reduzidos. Já na década de 80, percebe-se uma preocupação diferenciada e uma profusão maior de trabalhos, além de uma notável mudança de propostas e sentidos. Entretanto, a despeito de sua importância, até por significarem manifestações primeiras de um novo momento, não se chegou a constituir um campo estruturado e denso de preocupações com a História.

---

[54] Ghiraldelli Júnior, Paulo. *Educação Física progressista*. São Paulo: Loyola, 1988.

[55] Soares, Carmem Lúcia. *O pensamento médico-higienista e a Educação Física no Brasil — 1850/1930*. São Paulo: PUC, 1990. Dissertação (Mestrado em Educação).

[56] Goellner, Silvana Vilodre. *O método francês e a Educação Física: da caserna à escola*. Porto Alegre: UFRGS, 1992. Dissertação (Mestrado em Educação Física).

É a partir da década de 90 que começamos a perceber um interesse ainda maior e um desenvolvimento mais pronunciado e institucionalizado, com duas importantes marcas: a criação de um grupo de pesquisa dedicado à História da Educação Física e do Esporte, na Universidade Estadual de Campinas, e a realização dos Encontros Nacionais de História do Esporte, Lazer e Educação Física, iniciativa primeira daquele grupo.

Além disso, inicia-se a estruturação de uma formação mais específica de pesquisadores em História.

Hoje existem três cursos de pós-graduação *stricto-sensu* em Educação Física que possuem linhas de pesquisa específicas[57] e muitos professores têm procurado cursos de pós-graduação em universidades que possuem linhas dedicadas à História da Educação[58].

Um fato importante, pelo aspecto pioneiro, merece ainda ser lembrado: a realização do I Congresso de Filosofia, História, Sociologia e Educação Física Comparada, em agosto de 1990, promovido pelo Centro Acadêmico de Educação Física da Universidade do Estado do Rio de Janeiro; provavelmente a primeira experiência especificamente organizada para discutir a História da Educação Física e do Esporte[59].

Enfim, embora há muito venham existindo preocupações com os aspectos históricos da Educação Física e do Esporte, obviamente com sentidos diferenciados, pela primeira vez tais iniciativas assumem a profundidade e a organicidade atuais, o que se reflete diretamente no aumento da produção científica: um "movimento" ainda não observado.

Internacionalmente, tal estudo já está significativamente mais avançado e reconhecido nos círculos acadêmicos, extravasando mesmo os limites da Educação Física[60]. Foi nos Estados Unidos e na Grã-Bretanha que a História da Educação Física e do Esporte se desenvolveram pioneiramente e mais fertilmente. Nos Estados Unidos, as preocupações foram bastante precoces[61], mas as primeiras conferências específicas, marcas de um novo momento, se observam a partir de 1971. Um grande impulso se deu com a criação da *North American Society of Sport History* (NASSH, em 1972),

---

[57] Mestrado e Doutorado da Universidade Gama Filho e da Universidade Estadual de Campinas; e Mestrado da Universidade Federal de Pelotas.

[58] Como na Pontifícia Universidade Católica de São Paulo.

[59] Além de mesas e temas livres, uma noite foi dedicada especificamente à História. Os profs. Vitor Marinho de Oliveira e Ademir Gebara foram responsáveis pela dinamização e introdução teórica às discussões.

[60] Por exemplo, o *Journal of Sport History* é o sétimo periódico ligado a História mais citado nos Estados Unidos.

[61] Park (*op. cit.*) afirma que desde o século XIX se identificavam tais preocupações.

que realizou sua primeira reunião anual em 1973 e desde 1974 é responsável pela edição do *Journal of Sport History*.

Na Grã-Bretanha, assim como nos Estados Unidos, a História do Esporte tem conquistado um espaço bastante significativo. De acordo com Jefrey Hill (*op. cit.*)[62], embora mais recente e menos avançada que a História norte-americana, as experiências e o avanço metodológico da História Social do Esporte britânica têm sido destacáveis.

Segundo o autor, um estudo marcante, expressão da melhora de qualidade e desenvolvimento da História do Esporte na Grã-Bretanha, foi a coletânea organizada por Richard Holt: "Esporte e a classe operária na Grã-Bretanha moderna" (1990). O objetivo básico deste estudo era investigar, a partir da perspectiva e tendo como pano de fundo as reflexões e proposições metodológicas do historiador E.P.Thompson, as práticas esportivas daquela classe, buscando ampliar a compreensão acerca do esporte bretão.

Para o autor, os principais avanços deste estudo foram: a) demonstrar a possibilidade de construir uma História vista de baixo, desde que se amplie as fontes utilizadas; b) logo, uma saída da perspectiva de grandes heróis e grandes nomes, tão comum na História do Esporte; c) o estudo histórico de caráter local permitiu perceber a riqueza e a variedade das manifestações esportivas; d) a busca de uma abordagem multicultural, o que a princípio poderia parecer um contrassenso, afinal, era uma abordagem ligada à classe social, mas tranquilamente compreensível dentro do contexto da obra de Thompson.

De fato, as preocupações metodológicas ocuparam espaço significativo nas discussões, tanto nos Estados Unidos quanto na Grã-Bretanha. A despeito das discordâncias nas conceituações de História da Educação Física e do Esporte, os estudiosos parecem concordar que o rigor e a busca de novas matrizes metodológicas não só podem ser de grande utilidade, como são uma necessidade para os estudos.

Em 1979, B.G. Rader identificara dois grandes problemas nos estudos históricos, plenamente perceptíveis na produção brasileira: a) estudos excessivamente descritivos (o que particularmente tenho denominado de documentais-factuais) e b) carência de evidências documentais[63]. Mas de 1979 até hoje parece ter havido muitos avanços naqueles países. Na opinião de Park (*op. cit.*)[64] cinco autores e suas correntes metodológicas merecem destaque: J.A. Mangan (História Cultural), Melvin Adelman (História Social), Donald Mrozek (História Intelectual), John MacAloon (psico-história/se-

---

62 Hill, Jefrey, 1996, *op. cit.*

63 Sobre esse aspecto, ver o capítulo II desse livro.

64 Park, Roberta, 1992, *op. cit.*

miótica) e Bruce Haley (História Social e Cultural). Tal destaque se deve aos posicionamentos e abordagens metodológicas, contribuições não só para a História da Educação Física e do Esporte como para a História em geral; a boa documentação utilizada; e ao pensamento crítico desenvolvido.

A autora constata que apenas um destes estudiosos é professor de Educação Física, sendo todos os outros "historiadores de formação". Na verdade, as preocupações históricas com o esporte têm sido quantitativamente maiores e qualitativamente melhores do que aquelas relacionadas à Educação Física. A explicação para tal descompasso estaria no interior da própria Educação Física. Primeiro devido ao que chama de dupla dimensão da área: uma parte ligada à pesquisa e outra ligada à docência. O problema central é que não se observa uma adequada síntese entre estas duas dimensões, sendo privilegiada, inclusive, a dimensão da docência em detrimento às pesquisas.

O outro problema estaria na *cross-disciplinaridade* da área. Se por um lado isto se mostra fundamental para impedir a especialização e a compartimentalização excessiva, de outro tem sido muitas vezes justificativa para falta de rigor intelectual. Tendo relação com tais problemas, Park percebe que enquanto os professores de Educação Física que têm se envolvido com a História, principalmente na docência, não tem demonstrado conhecimentos metodológicos adequados e suficientes, os "historiadores de formação" já identificaram a importância do esporte enquanto um objeto de estudo, e têm se dedicado não só a utilizá-lo de forma privilegiada, como também a criticar a sua produção científica, tornando-a de melhor qualidade. Desta forma, os "historiadores de formação" já ocupam a maior parte dos espaços na História da Educação Física e do Esporte nos Estados Unidos e Grã-Bretanha, produzindo material de boa qualidade e profundidade.

No Brasil, ainda não observamos processo semelhante no que se refere ao interesse dos "historiadores de formação". Contudo, entre os professores de Educação Física, que têm procurado se dedicar aos estudos históricos, percebem-se os primeiros impulsos de preocupações metodológicas, embora ainda não tenham conseguido um grau de penetrabilidade suficiente para melhorar significativamente a produção histórica. As discussões ainda não alcançaram um grau desejado, mas parecem já ter despertado relativo interesse. Os Encontros específicos refletem bem esta mudança de postura.

Enfim, na verdade essa é uma falsa oposição e uma falsa conceituação. Não existe (ou ao menos não deveria existir) esse suposto antagonismo e dicotomia entre "historiadores de formação" e "historiadores não-formados". Existem pesquisadores na área de História e seja qual for sua formação original, tal pesquisador deve dar conta de desenvolver seus estudos com qualidade. Voltaremos mais tarde a esta questão.

No cenário internacional, num contexto de tamanho número de discussões, é natural que fosse buscada uma organicidade maior. Em 1967 foi fundado o *International Comitee for History of Physical Education and Sport*. Atualmente, da junção desta associação com *a International Association for History of Physical Education and Sport*, foi criada a *Internacional Society for History of Physical Education and Sport* (ISHPES). Esta entidade procura congregar os historiadores da Educação Física e do Esporte no mundo, entre outras iniciativas, com a realização de congressos e seminários internacionais, edição de um boletim trimestral e outras publicações, além de uma lista de discussão na Internet que reúne mais de 300 pesquisadores de mais de 20 países.

Além destas entidades internacionais, diversos países possuem suas entidades nacionais. Já falamos da sociedade norte-americana (NASSH) e da dinamarquesa; podemos ainda citar as sociedades chinesa, britânica, finlandesa, alemã, entre outras. Existem também iniciativas de agrupar estudiosos de determinados aspectos da história da Educação Física e do Esporte, como a *International Society of Olympic Historians* (ISOH), que publica trimestralmente a revista *Citius, Altius, Fortius — the ISOH Journal*; e o periódico *Nikephoros*, dedicado aos que estudam manifestações "esportivas" na antiguidade.

Aliás, muitos são os periódicos exclusivamente dedicados à História da Educação Física e do Esporte. Entre os mais importantes estão: o já citado *Journal of Sport History*; o *International Journal of the History of Sport* (IJHS), fundado em 1983 como *British Journal of History of Sport*; e o *Sport History Review*, publicado de 1970 a 1995 como *Canadian Journal of the History of Sport*. É interessante observar que nos periódicos há uma grande preocupação em apresentar, além dos artigos, resenhas de livros e de outros periódicos. Isto se deve a grande produção na área, o que muitas vezes impede a divulgação desejada de todas a obras. Além de periódicos e livros, existem outras significativas iniciativas, como os museus de esporte, muito comuns em países europeus.

É interessante observar que começamos os primeiros contatos com pesquisadores e entidades internacionais. No último Encontro de História tivemos o prazer de contar com a presença do professor J.A. Mangan, editor do IJHS e renomado pesquisador; em evento realizado na Unicamp recebemos o prof. Erick Dunning, famoso por seus estudos sobre futebol e por seu trabalho com Norbert Elias; temos *papers* de brasileiros publicados nos anais do último Congresso Mundial, realizado em julho de 1997, em Lyon, na França; temos pesquisadores brasileiros participando das listas internacionais de discussão e já estão surgindo artigos em revistas internacionais. Enfim, internacionalmente também temos nos movimentado para ocupar espaços.

Como dissemos no início, é sem dúvida um grande risco tentar sintetizar um momento tão rico e plural e de grande efervescência teórica. Por isso, vamos comentar um pouco mais sobre os Encontros Nacionais de História da Educação Física e do Esporte, a partir principalmente de suas coletâneas. Ali, sem dúvida, estão todas nossas falhas e qualidades, todos nossos avanços e retrocessos, grande parte de nossas discussões e um significativo *quantum* de nosso esforço de construção. Cremos que tal apresentação pode possibilitar uma visão mais pragmática e concreta do atual momento dos estudos históricos em nossa área.

Encontros Nacionais de História: tendências, temáticas, problemas

Cresceu significativamente o número de trabalhos apresentados nos Encontros de História no decorrer de poucos anos. De 35 trabalhos publicados na primeira coletânea[65], atualmente temos cerca de 80 trabalhos por Encontro. Por trás desse aumento se encontram uma série de fatores que vão desde a visibilidade crescente do Encontro, ao reconhecimento da importância da História, a criação de um espaço que estimula a produção na área, mas também ao seu atrativo enquanto publicação na íntegra, tão importante para os currículos acadêmicos.

É importante ressaltar que, com este tópico, não pretendemos encerrar todas as discussões em torno dos trabalhos publicados nas coletâneas dos Encontros de História. Nosso objetivo é simplesmente apresentar um possível panorama das temáticas abordadas nos trabalhos publicados e possíveis problemas que, ao nosso entender, devem receber atenção. Para exemplificar tais discussões, elencamos alguns trabalhos, sem, no entanto, ter a preocupação de contemplar a totalidade publicada. Também não foi nosso objetivo escolher somente aqueles com o qual concordamos por completo. Temos várias ressalvas, no que se refere ao conteúdo e/ou a qualidade, a alguns destes trabalhos, que, contudo, não deixam de explicitar nosso atual estágio de desenvolvimento.

A História do Esporte é, indubitavelmente, uma das temáticas que tem mantido um espaço constante de publicações desde o primeiro Encontro. Estudos que vão desde preocupações específicas com determinados esportes até as discussões de seus aspectos econômicos. Entre os estudos, é fla-

---

[65] Os Encontros possuem a peculiaridade de publicar todos os trabalhos na íntegra, o que facilita inclusive a análise posterior dos andamentos dos trabalhos e do desenvolvimento da discussão.

grante a influência e a utilização das reflexões de Pierre Bourdieu, principalmente de um de seus estudos sobre a constituição do campo esportivo, publicado no Brasil em 1983[66]. Há que se ressaltar também o aumento das preocupações com a história de clubes esportivos, com certeza uma das maiores carências no que se refere a história do Esporte.

Na verdade, mais do que o aumento do número de estudos ligados à História do Esporte, assim como na realidade norte-americana e britânica a Educação Física tem perdido espaço significativo. O número de estudos dedicados à História da Educação Física, que aliás nunca foi dos maiores, tem decrescido e tal temática perdido importância nas discussões. Coincidentemente, ou não, até na denominação do evento é possível perceber indicadores desta desvalorização. Em sua primeira edição denominava-se Encontro de História da Educação Física e do Esporte. A partir da segunda passou a se chamar Encontro de História do Esporte, Lazer e Educação Física.

Esperamos que isto não seja reflexo inicial de um desligamento do "movimento da História" das discussões ligadas à Educação Física, processo semelhante ao que aconteceu, em nosso país, com outras sub-áreas de estudo. O esporte é uma prática social que extravasa o campo da Educação Física, sendo objeto reconhecido por várias áreas de conhecimento. Estas compreensões devem ser bem-vindas a História da Educação Física e do Esporte. Só não podemos, nem devemos, esquecer de reservar significativos espaços para discutir a Educação Física, bem como para discutir as relações históricas que têm se estabelecido entre Esporte e Educação Física.

Já os estudos relacionados à História do Lazer, temática que também tem mantido um espaço constante entre as publicações, são em grande parte dedicados a discutir aspectos em torno do tempo, seus conceitos e utilizações.

Mas será que deve haver espaço para a "História do Lazer" no interior do "movimento" da História da Educação Física e do Esporte? Esta é uma discussão que precisamos começar a proceder com mais profundidade no Brasil, definindo o que pode ser aceito no interior de um "movimento" que pretende discutir aspectos históricos de um determinado objeto de estudo, ou melhor, de dois objetos de estudo: o Esporte e a Educação Física. Ao procedermos tais discussões, longe de afastar possíveis contribuições, devemos ter em vista tornar nosso exercício mais centrado e mais diretamente ligado às suas possibilidades de contribuição.

Assim sendo, é com grande preocupação que vemos a temática "lazer"

---

66 Bourdieu, Pierre, 1983, *op. cit.*

contemplada até mesmo na denominação dos Encontros. Parece-me que somente interessariam os aspectos ligados ao lazer se estes também estiverem relacionados à Educação Física e/ou ao Esporte. E tais aspectos já estariam contemplados nos conceitos de Esporte e/ou Educação Física. Não interessa no contexto de nossos Encontros, por exemplo, alguém que venha discutir os aspectos históricos da leitura como forma de lazer. Penso que isto seria ampliar perigosamente as discussões, em um Encontro que pretende ser específico e centralizado.

De fato, uma das temáticas que tem ocupado espaço crescente nos Encontros é a discussão dos aspectos metodológicos e teóricos em torno da História da Educação Física e do Esporte. Desde o primeiro Encontro (1993) estas questões estavam colocadas, seja no que se refere às possibilidades teóricas como um todo[67], ou nos aspectos ligados à utilização de fontes, destacadamente às discussões acerca do uso da História Oral[68].

No Encontro seguinte (1994), tais discussões tornaram-se mais acaloradas, principalmente com polêmicas em torno das peculiaridades da utilização de documentos[69] e relatos orais como fontes[70]. Remeteu-se assim para o terceiro Encontro (1995) a continuidade destas discussões. Neste Encontro, tais preocupações foram destacadamente notáveis, com duas conferências dedicadas exclusivamente a discutir métodos e fontes na construção de um estudo histórico[71], um estudo sobre a necessidade de levantamento de fontes[72], um estudo sobre a constituição de um arquivo[73] e, mais uma vez, discussões sobre a História Oral[74]. No quarto Encontro essa tendência perma-

---

[67] Ver nas coletâneas do I Encontro os estudos de COSTA, LAMARTINE PEREIRA DA. *A hermenêutica e a pesquisa histórica* e GAMBOA, SILVIO SANCHEZ. *Concepções de tempo e a questão da historicidade do objeto.*

[68] Ver os estudos de MELO, VICTOR ANDRADE DE. *Alberto Latorre de Faria, história oral e a Educação Física brasileira* e RODRIGUES, MARILITA A. ARANTES. *Pesquisando a história do esporte clubístico: um estudo de caso.*

[69] Ver nas coletâneas do II Encontro o estudo de LUPORINI, TEREZA JUSSARA. *Presevação da memória: a construção de objetos de pesquisa a partir de documentos históricos.*

[70] Ver, na mesma coletânea, o estudo de MELO, VICTOR ANDRADE. *História oral e História da Educação Física no Brasil: uma possibilidade necessária.*

[71] Ver nas coletâneas do III Encontro os estudos de MARSON, IZABEL DE ANDRADE. *Fontes e métodos: a Revolução Praieira* e OLIVEIRA, CECÍLIA SALLES DE. *Fontes e métodos: memória e história — a independência em questão.*

[72] MELO, VICTOR ANDRADE DE & DINI, PATRÍCIA, 1995, *op. cit.*

[73] LUCENA, RICARDO & PAIVA, FERNANDA S. *Acerca da criação de um arquivo em Educação Física e Esporte.*

[74] SILVA, DIRCE M. CORREA DA. *Alguns tópicos para discussão acerca da história oral e uso da Educação Física.*

nece. O tema central é dedicado a discutir fontes e métodos. Quatro conferencistas e quatro debatedores são convidados para explanar o tema. Além disso, uma mesa específica de trabalhos inscritos é realizada sobre a temática.

Também parecem ganhar espaço as discussões em torno da constituição do campo de estudo da História da Educação Física e do Esporte no Brasil. Neste aspecto, há de se ressaltar os estudos de Verter Paes Cavalcanti (1993; 1994; 1995)[75], que desde o primeiro Encontro vem procurando discutir a Historiografia, principalmente na década de 80. No terceiro encontro surgiram os primeiros estudos, embora bastante embrionários, destinados a discutir os próprios Encontros de História[76].

Para finalizar nossos comentários acerca dos Encontros de História, pensamos que maiores cuidados devem ser tomados com trabalhos que não possuem caráter histórico. Nos Encontros são facilmente encontráveis trabalhos desta natureza, ligados ao lazer, à Educação Física escolar, ao treinamento desportivo e, principalmente, a políticas públicas.

O número de trabalhos publicados ligados a políticas públicas tem sido bastante significativo, o que para nós não se justifica em um evento científico dedicado a discutir aspectos históricos. A não ser que o estudo seja dedicado a uma análise histórica de políticas públicas, o que aliás não é o caso da maioria dos estudos publicados. Sem dúvida, os estudiosos de políticas públicas em Esporte, Educação Física e Lazer ainda não têm um espaço específico para suas discussões. Mas este é um problema que deve ser resolvido pelos que estudam políticas públicas, de forma alguma responsabilidade dos que tem se dedicado aos estudos históricos.

Reforçamos que ao procedermos tais críticas, longe de afastar potenciais contribuições, temos em vista tornar nossas discussões mais centradas e adequadas. Isto não significa, por exemplo, afastar contribuições originárias da antropologia e da sociologia, o que seria um absurdo se encararmos o atual momento dos estudos históricos, onde estas barreiras têm sido questionadas e relativizadas. Mas verificarmos até que ponto estas preocupações têm um caráter histórico que justifique sua discussão neste fórum específico.

---

[75] Ver nas coletâneas dos Encontros os estudos *Educação Física: discurso histórico — um processo de materialização ideológica*; *Reflexões acerca da possibilidade de uma História da Educação Física brasileira* e *O trabalho com as fontes históricas na historiografia da Educação Física brasileira*, respectivamente.

[76] BARBOSA, JOSÉ ANTONIO S. *A história dos Encontros de História, o fazer de uma nova história*. FREITAS JÚNIOR, MIGUEL A. DE. *O primeiro Encontro de História da Educação Física e Esporte*.

Esse estudo em momento algum objetivou ser um levantamento de autores, obras e seus resumos. Sem descartar a priori a importância dessa iniciativa, inclusive porque de alguma forma possibilita o conhecimento de nossa produção no campo da História, pretendemos identificar algumas especificidades no atual momento de nossos estudos históricos. A partir dessas considerações, nesse momento final objetivamos mais do que fazer uma síntese das discussões. Ao apontar algumas sugestões, esperamos interferir e influenciar nos caminhos a serem trilhados a partir de então. Para tal, pretendemos também tecer paralelos sobre a vinculação de nossos estudos com as teorias e discussões na área de História, que em última instância determinam como tem se dado o elencar e utilizar de procedimentos metodológicos.

Acreditamos assim que as escolhas, intencionais ou não, de ordem metodológica/epistemológica têm um peso fundamental na escrita da história. Isso é, a escolha de técnicas narrativas e formas de análise têm implicações sociais e políticas claras. As percepções ideológicas tornam-se então mais sutis e mais interiores ao campo de conhecimento da História (Hunt, 1992)[77]. Logo, não estou a abandonar a possibilidade de análise dos aspectos ideológicos, mas a considerar que é possível inferir e desvendar tais aspectos no interior das opções metodológicas/epistemológicas.

Penso que qualquer tipo de justificativa pautada na recência de nossos estudos na área da História, que explicaria seu desenvolvimento ainda embrionário e sua fragilidade metodológica, além de comprovar o desconhecimento de nossa produção, principalmente das décadas de 40 a 60, não pode servir para obliterar a necessidade imperiosa de superação qualitativa. O respeito e a consideração pelo que foi produzido até os dias de hoje não pode substituir ou impedir a rigorosa crítica permanente (tão rigorosa quanto possível for) que deve ser efetuada.

Mirian Jorge Warde (1990)[78], refletindo sobre a História da Educação, afirma que o presentismo pragmatista ocupou espaço central nos estudos da área, até mesmo espaço maior que o positivismo. Ao proceder uma análise em nossa área parece se confirmar um procedimento semelhante. É interessante perceber como a História foi é utilizada fundamentalmente a partir de sua utilidade para justificar o presente, a partir de uma compreensão linear de causa e consequência, onde o presente nada mais é do que o reflexo e a soma do que ocorreu no passado.

---

77 Hunt, Lyhn. *A Nova História Cultural*. São Paulo: Martins Fontes, 1992.

78 Warde, Mirian Jorge. Contribuição da História para a Educação. *Em aberto*, Brasília, n. 47, jul-set./1990.

Como vimos no capítulo anterior, um exemplo disso é facilmente identificável não só nos estudos históricos, mas também nas disciplinas ligadas a História da Educação Física e do Esporte nos cursos de graduação em Educação Física. Logo, o aluno já sai da graduação sem compreender o sentido dessa disciplina ou com uma apreensão bastante complicada.

Um exemplo da utilização da história como "justificativa" do presente pode ser obtido no costume, bastante difundido em nossa área, de inserção de capítulos introdutórios dedicados a uma "contextualização" histórica. Normalmente desconexos do contexto central dos estudos, a presença desses capítulos se dá na tentativa de mostrar que o problema levantado nada mais é do que reflexo do passado. Além dessa controversa impropriedade teórica, esses capítulos, inclusive por não serem o alvo central do estudo, recebem uma atenção menor por parte do autor, sendo apresentados sem uma reflexão historiográfica mais profunda e reproduzindo os esquemas históricos tradicionais, normalmente justificados "por serem somente um capítulo introdutório".

Esses capítulos introdutórios não contribuem nem com o entendimento do problema central do seu estudo, nem com a História da Educação Física e do Esporte, contribuindo antes para sua desorganização e desorientação. Tais capítulos, se não têm sentido no conjunto da obra e se não merecem uma preocupação maior, podem ser perfeitamente retirados e/ou utilizados no interior das considerações em geral. Não há nada que obrigue a existência de um capítulo inicial dedicado a história. Mas, caso exista, deve receber o mesmo cuidado que os outros e partir de uma cuidadosa reflexão teórica.

De fato, penso que a História da Educação Física e do Esporte precisa encontrar sua definição e seu espaço, abolindo a compreensão de que todo amontoado de datas e fatos, colocados em qualquer momento, mesmo que seja com uma pretensa abordagem crítica, é história. Precisa encontrar uma especificidade e uma qualidade que a destaque, e isso deve ser preocupação central daqueles que estudam mais sistematicamente a história, construindo exemplos também para aqueles que eventualmente fazem seu uso.

Parto de uma premissa principal: a História da Educação Física e do Esporte precisa romper quaisquer fronteiras e resistências, descobrindo seu lugar no vasto campo de conhecimento da História. Isto é, a História da Educação Física e do Esporte é antes de tudo História, e seu lugar na Educação Física/Ciências do Esporte está em, utilizando os referenciais e constructos teóricos da História, ter a Educação Física e o Esporte como objetos de estudo. A História da Educação Física e do Esporte, no momento que tem a Educação Física e o Esporte como objetos de estudo, contribui para as discussões pertinentes a esses, mas para isso faz uso da História. Penso que a História da Educação Física e do Esporte seja uma das especializações da História, se considerado o aspecto temático.

Enquanto estudo de um dos temas do campo de conhecimento da História, um dos elementos da multiplicidade do real histórico, a História da Educação Física e do Esporte também tem a contribuir com a História na sua compreensão da sociedade. Não só por apontar novas possibilidades temáticas e por contribuir para a compreensão da complexidade histórica, como também indicar novos procedimentos para efetivar essa compreensão.

A História da Educação Física e do Esporte terá também, nesse esforço de delineamento, que lidar com os problemas relativos a indefinição do seu campo de conhecimento, principalmente da Educação Física. Afinal, o que é Educação Física? Essa questão tem mobilizado continuamente os pesquisadores na nossa área e está longe de ser respondida.

Não descartando essas discussões, nem a contribuição da História para elas, uma solução momentânea estaria em explicitar os limites a se considerar. Penso que um caminho seja delimitar o que é interessante para o estudo da própria definição da Educação Física e do Esporte, além de suas fronteiras móveis como objeto de interesse. Particularmente, não penso em dispensar a priori determinadas manifestações da cultura corporal, como a dança, desde que sua relação se dê no âmbito do interesse da área de Educação Física e do Esporte.

Logo, é fundamental que preocupações quanto a fragmentação da Educação Física/Ciências do Esporte não venham impedir a História da Educação Física e do Esporte de se desenvolver no seio da História, já que isso não significará o abandono da Educação Física/Ciências do Esporte. Antes o contrário: a potencialização de sua contribuição.

Partindo dessa premissa, nesse momento as preocupações metodológicas/epistemológicas devem ocupar lugar central nos estudos históricos em nossa área. A História tem caminhado notoriamente e redimensionado constantemente seu campo e forma de atuação[79] e as possibilidades abertas nesse processo parecem ainda não terem sido consideradas profundamente no âmbito de nossos estudos. Ao orientar nossa produção histórica em consonância com o momento historiográfico em geral, ampliando nossas possibilidades teórico-metodológicas, devemos ter cuidado, todavia, para que não venhamos a aceitar passivamente as "novas propostas", acreditando que por

[79] Entre outros, aponto os questionamentos à epistemologia racionalista-científica-objetiva, o questionamento da dimensão macro-explicativa, a possibilidade de utilização de novos objetos, o surgimento de novos temas, a recuperação da dimensão subjetiva, a relativização do conceito de verdade, a crítica a tradição marxista ortodoxa, a crítica a linearidade evolutiva do processo histórico, a utilização da crítica literária.

si só são suficientes para redimensionar o campo de estudo da História da Educação Física e do Esporte no Brasil. Antes, devemos estar atentos às possíveis críticas a essas "novas propostas", fazendo um "desconfiado" uso, sempre prontos a questionar suas reais contribuições[80].

Um exemplo da carência de preocupações metodológicas em nossa área pode ser encontrado mesmo na utilização de fontes[81].Também é preciso que estejamos mais atentos a nossa própria história e as "lacunas" ainda existentes nessa. Não podemos deixar de descobrir e estudar novas "lacunas", além de redescobrir e reestudar, sobre novas óticas, antigas constatações. Creio que estamos correndo o risco de estar escrevendo a história sem conhecer o que já foi escrito até então:

> "Não é cabível, por exemplo, que estudos que se pretendam históricos sejam arquitetados com base no desconhecimento do que já foi produzido na área sobre os mesmos temas já escolhidos" (Warde, op. cit, p. 6)[82].

Sem dúvida, devemos considerar ainda que os acontecimentos, os fatos e as datas têm adquirido um novo sentido e importância. As críticas à cronologia têm sido relativizadas e percebe-se cada vez mais novas formas de narrativa que considerem essa importância[83].

Devemos também estar atentos para não confundir uma compreensão histórica que tenha direta ligação com a vontade de transformar e interferir na realidade social, com outra que a confunda com empenho ideológico a priori. Esse esforço deve estar aliado a outro no sentido de repensar a relação entre a história que estamos escrevendo e aquela vivida, ocorrida. A

---

[80] Maiores informações sobre críticas e ressalvas sobre o "novo" podem ser encontradas nos estudos Zaidan Filho, Michel. *A crise da razão histórica*. Campinas: Papirus, 1989; e Petersen, Sílvia Regina Ferraz. Algumas interrogações sobre as tendências recentes da Historiografia brasileira: a emergência do "novo" e a crítica ao racionalismo. *LPH: revista de história*, Ouro Preto, v. 3, n. 1, 1992.

[81] Esse assunto será discutido mais profundamente no capítulo II desse livro.

[82] Warde, Mirian Jorge, 1990, *op. cit.*

[83] Peter Burke (*A Escrita da História*. São Paulo: Unesp, 1992) resume bem as discussões que tem se estabelecido no interior da História: *"A oposição tradicional entre os acontecimentos e as estruturas está sendo substituída por um interesse por seu inter-relacionamento e alguns historiadores estão experimentando formas narrativas de análise ou formas analíticas de narrativa"* (p. 30). Também Jacques Le Goff (*A História Nova*. São Paulo: Martins Fontes, 1990a) crê que a cronologia *"... continua sendo um conjunto de referências que sem dúvida deve ser enriquecido, flexibilizado, modernizado, mas que permanece fundamental para o próprio historiador, para os jovens e para o grande público"* (p. 7).

relativização da verdade não pode significar o abandono de sua busca, nem tão pouco a substituição de uma verdade estabelecida por outra a ser aceita a partir de então. Ao reconhecermos a possibilidade de certas regularidades não podemos correr o risco de sermos deterministas ou lineares ao extremo. Devemos tomar cuidado, enfim, para que nosso exercício não acabe se inserindo no campo da filosofia da história[84].

> "Com muita frequência os historiadores fazem, inconscientemente, sem saber, teoria ou ideologia em seu trabalho, e é preciso tomar consciência ou fazer com que se tome consciência, desse latente teórico" (Le Goff, 1990b, p. 5)[85].

Enfim, creio que os estudos históricos têm muito a contribuir para o estudo da Educação Física, do Esporte e da sociedade brasileira, permitindo interpretações de seus processos e caminhos no decorrer do tempo, lançando luzes nas discussões contemporâneas, e, diriam alguns, até mesmo contribuindo nas perspectivas do futuro. Mas é perigoso que para isso venha a coadunar com uma perspectiva linear causa-consequência ou a permitir que inferências a priori ideológicas obliterem a especificidade de sua contribuição.

É comum que a história seja uma sequência de novas leituras do passado, plenas de perda e ressurreição, falhas de memória e revisões, ocasionadas pela busca incessante da verdade e da objetividade. Talvez um pouco mais de desconfiança, um pouco menos de linearidade e unanimidade, possa nos ser muito útil. Trabalhar um pouco mais as contradições, nas fronteiras, com as ambiguidades e inexatidões que segundo Paul Ricoeur são equívocos bem fundamentados que caracterizam e justificam o difícil trabalho do historiador.

> "A história só é história na medida em que não consente nem no discurso absoluto, nem na singularidade absoluta... a história é es-

---

[84] Segundo Le Goff (1990b) a filosofia da história "*... tendência, nas suas diversas formas, para levar a explicação histórica à descoberta ou à aplicação de uma causa única e original, para substituir o estudo pelas técnicas científicas de evolução das sociedades, sendo essa evolução concebida como abstração baseada no apriorismo ou num conhecimento muito sumário dos trabalhos científicos*" (p. 19).

O autor, longe de negar a priori a filosofia da história, chama atenção para o fato de que como não é histórica, muitas vezes acaba por desvirtuar e ideologizar o conceito de História. Acredita então que a História deva introduzir, por outras vias que não a ideologia e respeitando a imprevisibilidade, o horizonte do futuro na reflexão.

[85] Le Goff, Jacques. *História e memória*. Campinas: Ed. Unicamp, 1990.

> sencialmente equívoca, no sentido de que é virtualmente *evenementielle* e virtualmente estrutural... a história quer ser objetiva e não pode sê-lo. Quer fazer reviver e só pode reconstruir. Ela quer tornar as coisas contemporâneas, mas ao mesmo tempo tem de reconstituir a distância e a profundidade da lonjura histórica" (Ricoeur *apud*. Le Goff, 1990b, p. 21).

Enfim, não se pode negar que o avanço tem sido flagrante e as preocupações metodológicas têm cada vez mais ocupado a ordem do dia. Por todo o país muitos pesquisadores têm dado sua contribuição e muitas propostas, discussões, estudos, artigos, monografias etc. têm surgido, grande parte no sentido de buscar um novo caminho para o estudo da história da Educação Física e do Esporte no Brasil. Mas ainda existem muitas lacunas, principalmente no que se refere à qualidade, natureza e especificidade desta produção. Há muito trabalho a ser feito.

Penso que um bom começo e uma medida imediata está em, como tentei apontar nesse artigo, orientar os caminhos da História da Educação Física e do Esporte em consonância com o desenvolvimento do campo de conhecimento da História. E, logo, estabelecer um diálogo aberto e desprovido de preconceitos ou corporativismos entre os pesquisadores da Educação Física e da História. Penso que é necessário encararmos essa possibilidade/necessidade, sob o risco de dificilmente nos aproximarmos mais efetivamente do alcance de nossos objetivos e contribuições.

SEGUNDA PARTE

Fontes na História da Educação Física e do Esporte no Brasil — Especificidades e Possibilidades —

Capítulo II

LEVANTAMENTO DE FONTES PARA A HISTÓRIA DA EDUCAÇÃO FÍSICA E DO ESPORTE NO BRASIL — EXPERIÊNCIAS —

"Nenhum historiador pode resignar-se, de coração leve,
a renunciar a (...) variedade de documentos.
Entre os papéis negligenciados, talvez esteja o testemunho
do qual depende uma nova luz sobre um momento da história"
(Glénisson, 1986, p. 149)[86]

Qual será a fidedignidade da fonte oral? Será possível utilizar iconografias como fontes? É o documento escrito, tradicional, o único que efetivamente se presta ao estudo histórico? Diversas correntes teóricas têm fartamente discutido tais questões sobre as mais diversas óticas, principalmente a partir do surgimento de movimentos de reorientação dos estudos históricos, onde se destacam as ações dos historiadores ligados a "Escola dos Annales"[87] e dos historiadores neo-marxistas ingleses. Independente da postura teórica, no entanto, todos são unânimes em não discordar: não existe história sem fontes.

"...efetivamente, a ausência de fontes impede que um historiador

[86] Glénisson, Jean. *Introdução aos estudos históricos*. São Paulo: Bertrand, 1986.

[87] Chama-se de *Escola dos Annales* ao movimento historiográfico que surgiu na França, em meados da década de 20, buscando basicamente redimensionar e ampliar, nos mais diversos sentidos, as possibilidades de abordagem historiográfica, a partir da crítica a história 'Rankeana' e sua visão reducionista, impregnada por elementos do positivismo. Maiores informações podem ser obtidas em: Burke, Peter. *A escrita da História*. São Paulo: Unesp, 1992; Burke, Peter. *A Escola dos Annales*. São Paulo: Unesp, 1991; e Le Goff, Jacques. *A História Nova*. São Paulo: Martins Fontes, 1990.

possa realizar plenamente a sua função: como comprovar, sem elas, as suas hipóteses de trabalho?" (CARDOSO, 1994, p. 51)[88].

Ainda assim, o conceito de fonte não é único e uniforme. Muitas vezes é mesmo totalmente confundido com o conceito de documento, sendo esse encarado mais especificamente como atos escritos emanados dos poderes públicos ou particulares. De fato, o uso quase exclusivo do documento, característica peculiar dos estudos históricos e da concepção historiográfica predominante entre os séculos XVII e XIX[89], acabou por ligar indistintamente os conceitos de fonte e documento. Em nosso caso, optamos por considerar fonte, em consonância com o momento atual do desenvolvimento dos estudos históricos, como tudo o que se presta a contar a história, todos os vestígios que nos permitam ampliar a compreensão historiográfica dos fatos, sejam documentos ou relatos orais, iconografias, letras de música e tudo o mais.

Jean Glénisson (*op. cit.*)[90], ao aceitar também tais possibilidades, classifica as fontes quanto ao seu caráter subjetivo/objetivo em involuntárias e voluntárias. As primeiras seriam os monumentos arquitetônicos, os vestígios arqueológicos, os usos e costumes. Já as voluntárias seriam as memórias, narrativas, crônicas, obras de história e/ou possíveis de serem usadas pelo historiador. Para ele, as fontes também podem, quanto a sua natureza, ser classificadas em imateriais, monumentos ou documentos.

Para Ciro Flamarion Cardoso (*op. cit.*)[91], são duas as classificações mais usuais. Uma delas é que divide as fontes entre escritas e não escritas. Porém, a mais importante é a que busca identificar as fontes primárias e secundárias. As fontes primárias seriam as surgidas como decorrência direta do tema estudado. As secundárias seriam as publicações sobre os determinados assuntos. O autor alerta que, conforme as primeiras vão se perdendo, as secundárias acabam sendo consideradas como primárias. Em nossa área, tal caso ocorre com as obras do prof. Inezil Penna Marinho, muitas vezes utilizadas como fontes prioritárias em detrimento das fontes originais. Cabe ressaltar, como afirma Cardoso, que as fontes primárias devem ser privilegiadas; ou ao menos "as mais primárias possíveis".

Embora não negando a importância e as possibilidades de utilização dos mais diversos tipos de fonte como forma de ampliar o espectro de estudo da

---

[88] CARDOSO, CIRO FLAMARION. *Uma introdução à História*. São Paulo: Brasiliense, 1994.

[89] Maiores informações sobre o predomínio dos documentos podem ser obtidas em: LE GOFF, JACQUES. *História e Memória*. Campinas: Edunicamp, 1990.

[90] GLÉNISSON, 1986, *op. cit.*

[91] CARDOSO, 1994, *op. cit.*

História da Educação Física e do Esporte, de forma alguma isso significa propor o abandono de nossas fontes documentais como alternativa plausível. Mais ainda, nesse momento da História da Educação Física e do Esporte no Brasil, precisamos descobrir, catalogar e divulgar nossas fontes, sejam quais forem sua natureza.

Precisamos também ter claro que a utilização do documento é particularmente importante em grande parte dos estudos históricos e no desenvolvimento de nosso "movimento" historiográfico.

> "Todavia, a justificada importância que atribuímos aos documentos não escritos não nos deve fazer esquecer um fato incontestável: o documento escrito continua a ser a fonte primordial de informação dos historiadores" (Glénisson, *op. cit.*, p. 141)[92].

Assim, se faz necessário sentirmos que cada assunto tende a necessitar de uma fonte de natureza diferente[93], mas também que o documento em quase todas as oportunidades é não só valioso, como mesmo fundamental. Sendo assim sempre será necessário ter em vista a variedade de possíveis documentos a serem utilizados em nossos estudos historiográficos. Uma pergunta, entretanto, se lança: é possível examinar todos os documentos sobre determinado assunto? O aporte de documentos nos últimos séculos sem dúvida muito tem dificultado tal missão.

Vejamos: só na Biblioteca Nacional, que recebe cerca de 20% do que deveria como responsável pelo depósito legal no Brasil, chegam mensalmente 1.500 monografias e cerca de 5.000 publicações em média (Carvalho, 1994)[94]. Não obstante, devemos lembrar que, para nossos antecessores, tal missão era deveras dificultada pelas reduzidas possibilidades de consultar arquivos e bibliotecas, na maioria das vezes privadas ou de difícil acesso. Somente depois da Revolução Francesa é que paulatinamente pode se observar a abertura das bibliotecas ao público e pesquisadores não comprometidos com as versões oficiais. As bibliotecas e arquivos foram cada vez mais se tornando o grande depositário de fontes para o historiador.

Embora hoje tenhamos acesso a um número relativamente farto de bibliotecas e arquivos, ainda é missão das mais difíceis o levantamento de bibliografias diversificadas e amplas acerca de determinado assunto. Os docu-

---

92 Glénisson, 1986, *op. cit.*

93 As fontes, segundo March Bloch, só "falam" quando sabemos lhes fazer as perguntas de forma adequada.

94 Carvalho, Gilberto Vilar de. *Biblioteca Nacional*. Rio de Janeiro: Irradiação Cultural, 1994.

mentos normalmente se encontram extremamente dispersos, a despeito de já existirem efetivas ações no sentido de resolver tal problema, como o sistema BIBLIODATA - CALCO, ligação de cerca de 220 bibliotecas brasileiras, e o SIBRADID, ligado diretamente a nossa área. O desenvolvimento mais profícuo de tais iniciativas, entretanto, é muitas vezes obliterado pelas condições financeiras precárias ou não suficientes, que se refletem das mais diversas formas: desde a carência de pessoal especializado no tratamento dos exemplares até a falta de verbas para a informatização (único caminho possível). Sem falar no estado de nossas bibliotecas, nem sempre em boas condições, muitas vezes sucateadas pela falta de importância com que são premiadas pelas ações governamentais.

Mas um outro fator, em certa medida remediável, também é responsável por dificultar ainda mais tal situação: a ignorância e o descaso pelo que está a nosso alcance, normalmente por se desconhecer a importância que novos documentos podem ter.

> "Certamente trata-se de uma grande vantagem possuirmos arquivos, bibliotecas, museus nos quais gerações de especialistas empenharam-se em buscar os elementos que possibilitam a outros especialistas escreverem a história. Mas é ao próprio historiador que cabe encontrar nesses imensos repositórios (...) os documentos exigidos para sua tarefa" (GLÉNISSON, *op. cit.*, p. 162)[95].

Nos estudos históricos ligados a Educação Física e ao Esporte no Brasil, percebemos algumas peculiaridades no que se refere a utilização limitada de fontes. É possível perceber, por exemplo, uma utilização excessiva de fontes secundárias, normalmente autores consagrados das décadas de 80/90[96], além do sempre também utilizado Inezil Penna Marinho (1952)[97].

Com isso não estamos a afirmar que essas fontes não se prestam ao estudo de nossa história, que devam ser abandonadas e muito menos que sejam de qualidade duvidosa (muito pelo contrário!). Somente afirmamos que existe um tesouro inestimável de fontes primárias (ou ao menos "mais primárias"), que podem nos ajudar a ampliar e melhor compreender os aspectos históri-

---

95 GLÉNISSON, 1986, *op. cit.*

96 Entre outros, podemos citar os estudos de: CASTELLANI FILHO, LINO. *Educação Física no Brasil – a história que não se conta*. Campinas: Papirus, 1988; BETTI, MAURO. *Educação Física e Sociedade*. São Paulo: Movimento, 1991; SOARES, CARMEM LÚCIA. *Educação Física: raízes européias e Brasil*. Campinas: Autores Associados, 1994.

97 MARINHO, INEZIL PENNA. *História da Educação Física e Esportes no Brasil*. Rio de Janeiro: Imprensa Oficial, 1952/1953.

cos da Educação Física e do Esporte brasileiros. Com certeza a diversificação de documentos (e fontes) poderá contribuir para uma construção mais múltipla, fundamental para que não tenhamos uma história unânime ou dicotomizada.

Para isso, de forma a facilitar tal diversificação, o recenseamento faz-se primordial. A heurística ("eu encontro")[98], a arte da pesquisa que aparentemente é científica, mas que coloca em jogo mesmo a fineza, a persistência, a cultura, o "faro" do historiador, longe de regras absolutas só nos permite parcas sugestões práticas.

> "O grande historiador – escreve Marrou – não será apenas aquele que melhor souber propor os problemas, mas que ao mesmo tempo, melhor souber elaborar um programa prático de pesquisas capazes de fazer surgir os mais numerosos, mais seguros e mais reveladores documentos" (Glénisson, *op. cit.*, p. 163)[99].

A partir dessas considerações iniciais, passamos a apresentar algumas experiências já desenvolvidas, ou em desenvolvimento, no sentido de levantar e disponibilizar fontes documentais ligadas à história da Educação Física e do Esporte.

Biblioteca Nacional[100]

Possivelmente uma das formas mais efetivas de começar o recenseamento esteja no conhecimento de nossas bibliotecas e arquivos. O domínio aprofundado de seus caminhos pode oferecer acesso a verdadeiros tesouros, relíquias inigualáveis. Com certeza as bibliotecas não são suficientes, mas podem ser um bom começo. Assim, nosso primeiro trabalho teve por objetivo cadastrar o material disponível sobre Educação Física, Esporte e Ginástica, desenvolvendo formas categorizadas de facilitar seu acesso e consulta, em uma determinada biblioteca brasileira, escolhida por sua importância: a Biblioteca Nacional

É importante entendermos que:

> "Biblioteca Nacional não é só uma biblioteca, mas sim em princípio o sinônimo de memória da cultura de um país; é no sentido mais

---

[98] Heurística seria "*...a atividade que consiste em localizar, reunir, classificar fontes históricas, delas fazendo listas, repertórios, inventários...*" (Cardoso, *op. cit.*, p. 53).

[99] Glénisson, 1986, *op. cit.*

[100] Este trabalho foi desenvolvido em conjunto com a profa. Patrícia Dini.

amplo, museu de toda sua produção bibliográfica, nos mais diversos campos culturais, através de sua história" (Carvalho, *op. cit.*, p. 23)[101].

Exageradamente podemos afirmar que tal Biblioteca deveria permitir acompanhar todo desenvolvimento do conhecimento em um país. Sua importância é mister na estrutura cultural, já que é, na verdade, o depositário de grande parte da cultura bibliográfica de um povo. E a Biblioteca Nacional do Rio de Janeiro (do Brasil), apesar de todos os percalços pelos quais passou e ainda passa, não deixou de cumprir de forma brilhante sua missão. Fundada em 1810, hoje é a oitava mais importante do mundo pelo seu valor histórico e a quantidade de seu acervo. Seu acervo não se resume a obras gerais (mais de 4 milhões de livros) ou periódicos (cerca de 3.500.000 fascículos), mas também iconografias (como mapas, fotografias, obras e peças), referências (8.000 títulos), manuscritos (mais de 700.000 entre códices, manuscritos, fac-símiles etc.), obras raras (50.000 títulos), além de 20.000 peças de arquivos históricos.

Quais seriam os títulos ligados à Educação Física? De quando serão os primeiros títulos? O que será que eles dizem? Existem muitos periódicos e/ou obras raras ligadas a nossa história? Quais serão nossas obras raras[102]? Esses e muitos outros questionamentos nos levaram a mergulhar nesse fascinante mundo que cada vez mais nos demonstra a impossibilidade de seu completo desvendamento.

A Biblioteca Nacional possui seis salas divididas pelos seus cinco andares, todas nomeadas em homenagem a expoentes ligados a História e a Educação no Brasil Império, onde grande parte de seu acervo é mantido.

O trabalho de pesquisa se iniciou pela Sala Rodolfo Garcia, onde se encontram os periódicos, referências gerais, serviços de informação bibliográfica e os terminais *on-line* Sicon/Prodasen[103]. Inicialmente optamos por buscar os periódicos. São mais de 43.000 títulos entre jornais, revistas, anais – nacionais e estrangeiros – catalogados, na época, em pastas de arquivo e microfilmes[104].

Como descobrir, dentro de nossas possibilidades operacionais, os títulos que se relacionam à Educação Física e ao Esporte em meio a tamanho acervo? Decidimos somente considerar os periódicos específicos à área, conscien-

---

[101] Carvalho, 1994, *op. cit.*

[102] Sobre o conceito de obra rara, procurar em: Pinheiro, Ana Virgínia T. P. *O que é livro raro*? Rio de Janeiro: Presença, 1989.

[103] Terminais diretamente ligados ao Congresso Nacional, permitindo acesso a legislação e a toda forma de informações ligadas ao Congresso, Câmara e Senado.

[104] Hoje o catálogo de periódicos já está informatizado.

tes de que tal escolha exclui possíveis informações contidas em periódicos gerais (jornais como *O Globo*, o *Correio da Manhã* e revistas como *O Cruzeiro, Manchete*). Posteriormente, iniciativas no sentido de verificação e catalogação desse material devem ser efetivadas. Por periódicos específicos, entendemos aqueles que de forma exclusiva[105] ou privilegiada[106] contêm informações relacionadas a área de estudo.

Na medida que em tal seção não existia um catálogo por assunto, a seleção foi realizada a partir dos títulos, o que nos trouxe uma dificuldade básica: como saber se realmente os títulos expressavam exatamente o conteúdo desejado para seleção? A "Bola" (1922) possui alguma ligação específica com nossa área? "Seleções Brasileiras" a que se referia? O "Club São Joanense" possui alguma ligação com a prática esportiva? Tentando minimizar distorções, selecionamos aqueles que tínhamos dúvida para verificação. Mas, temos clareza que, somente a verificação de todos os títulos selecionados, que se dá a partir de uma ação específica ou do retorno de futuros pesquisadores que venham utilizá-los, pode eliminar de vez todas as deficiências.

Problemas com conceitos também foram uma constante dificuldade. Mesmo após decidirmos somente considerar os periódicos ligados ao esporte, ginástica e Educação Física (retiramos os de Educação, Medicina, Fisiologia, Folclore, ligados ao movimento escoteiro, por exemplo, que podem, sabemos bem, conter informações relevantes), alguns problemas se apresentavam. O que considerar como esporte? Damas, xadrez, automobilismo, aeronavegação e excursionismo são esportes? Optamos por eliminá-los da lista de selecionados, somente conservando os que diretamente se ligavam a um campo esportivo estruturado. Conseguimos perceber, por exemplo, que no século passado existiam inúmeras revistas, como a Revista Sportiva (Recife, 1889), que se dedicavam exclusivamente ao turfe. Naquele momento o conceito de esporte chegava algumas vezes a se confundir com o turfe, similarmente ao que acontece hoje com o futebol.

Após a consulta de 84 pastas, periódicos relacionados por ordem alfabética, e 3 catálogos de microfilmes, relacionados por estado, conseguimos levantar 316 títulos, sendo 50 microfilmados. Os periódicos encontrados abrangem um período que vai de 1880 (mais antigo encontrado) a 1983 (mais recente).

Logo após, nessa mesma sala, passamos a proceder o levantamento na

---

[105] Exemplos: Correio Sportivo, Jornal dos Sports, Placar, Educação Physica.

[106] Exemplos: periódicos que destacam o esporte como conteúdo, apesar de não serem exclusivamente dedicados ao assunto, como "O Ideal – revista illustrada, literária, esportiva e comercial".

seção de referências, onde são mantidas as enciclopédias, dicionários, guias e manuais. As 20 obras, nacionais e estrangeiras, encontradas abrangem um período que vai de 1927 a 1987.

Nosso alvo seguinte foi a Sala Ramiz Galvão, onde se encontram os serviços ligados às obras gerais (monografias impressas). Essas obras se encontram em três tipos de catálogos: o primeiro, conhecido por catálogo antigo, é dividido por autor e assunto, contendo obras que chegaram a biblioteca antes de 1945; o segundo, denominado dicionário[107], contendo obras do período de 1945-1982; e o terceiro, denominado corrente, com obras posteriores a 1982, catalogadas da mesma forma que o anterior, já informatizado por autor, assunto e título.

As obras do primeiro catálogo foram alvo de nossa prioritária atenção. A seleção foi realizada a partir das obras constantes nos diversos assuntos possíveis de possuírem ligação com nossa área, aqui denominado por nós de termos-chaves[108]. Os termos-chaves pareciam a forma mais aproximada de alcance dos nossos objetivos, sem que precisássemos procurar em todo o acervo. Mas reconhecemos que alguns termos chaves ainda não investigados, como eugenia e medicina, podem conter relevantes informações. Além disso, algumas obras podem se encontrar em termos-chaves não imaginados por nós. A obra de Marinho (*op. cit.*)[109], que se utiliza largamente de obras da Biblioteca Nacional, muito nos ajudou no intuito de minimizar a ausência de obras de relevância. Ao final encontramos 142 títulos.

O trabalho no último catálogo foi mais simples. Com a inestimável ajuda das bibliotecárias, conseguimos imprimir uma listagem de todos os títulos catalogados nos assuntos Educação Física, esporte e ginástica, na medida que o catálogo já se encontra informatizado. Procedimento semelhante pode ser repetido para qualquer outro assunto ligado à área, com modalidades esportivas (futebol, voleibol etc.) e outros assuntos. Ainda assim, as ressalvas até agora levantadas permanecem também para esse catálogo.

Por fim o trabalho mais árduo, no sentido de trabalho manual, está para ser feito no segundo catálogo, pelo número de obras existentes. Efetuamos o levantamento do termo-chave "Educação Física", mas ainda faltam os levantamentos dos termos ginástica e esporte.

Nossa curiosidade não se limitou a essas duas salas e partimos para

---

[107] Autor, assunto e título se encontram misturados e ordenados por ordem alfabética.

[108] Alguns termos chaves selecionados foram: educação physica, educação física, ginástica, gimnástica, esporte, sport, desporto, remo, clube, clubs e algumas modalidades como remo, esgrima, box, lutas, judo, atletismo, foot-ball etc.

[109] MARINHO, Inezil Penna. *História da Educação Física e Esportes no Brasil*. Rio de Janeiro: Imprensa Oficial, 1952/1953.

pesquisar *"as mais importantes salas da Biblioteca"* (CARVALHO, *op. cit.*, p. 123)[110]: as salas de obras raras, iconografias e manuscritos.

A Sala João Antônio Marques guarda todo acervo impresso considerado raro, sejam livros, folhetos, periódicos etc. É importante esclarecer nesse momento que para uma fonte ser rara ou preciosa não é suficiente ser antiga, mas também é preciso ser única/inédita, fazer parte de alguma edição especial ou até mesmo apresentar uma encadernação de luxo ou autógrafos de personalidades[111].

Nessa seção os catálogos são divididos por obras e folhetos, periódicos e especiais, ordenados alfabeticamente em seu interior. Foi possível encontrar 3 obras, sendo uma delas de 1699 (Amsterdã), a outra sem data (Bruxelas) e a última de 1839 (Niterói-RJ), que versava sobre um curso para professores de escolas primárias[112], com capa autografada pelo imperador brasileiro D.Pedro II. Encontramos ainda 26 periódicos, a grande maioria do século passado. Muitos desses periódicos, lamentavelmente, devido ao seu péssimo estado de conservação, se encontram fora de consulta. O futuro pesquisador terá que solicitar autorização especial para poder ter acesso a tal material.

Por fim, terminamos nossa pesquisa na seção de iconografias (Sala Aloísio Magalhães), onde encontramos 13 títulos, a grande maioria ligada ao futebol, e na seção de manuscritos, onde somente encontramos apenas um título, também ligado ao futebol.

ARTIGOS EM PERIÓDICOS NACIONAIS[113]

Os artigos publicados nos periódicos brasileiros de Educação Física/ Ciências do Esporte parecem ser a face menos conhecida de nossa produção. Publicados no interior das revistas, os artigos acabam sendo esquecidos, menos procurados, já que o título do periódico, ao contrário do livro, não nos permite prever o que lá dentro podemos encontrar. Esse trabalho, então, teve por objetivo catalogar e divulgar os artigos publicados em periódicos nacionais específicos de nossa área de conhecimento.

---

[110] CARVALHO, 1994, *op. cit.*

[111] Maiores informações sobre o que é obra rara podem ser encontradas no estudo de Pinheiro (*op. cit.*).

[112] DEGENERANDO, Barão. Curso Normal para professores de primeiras letras ou direcções relativas a Educação physica, moral e intelectual nas escolas primárias. Nichteroy: s.e., 1839.

[113] Esse trabalho foi desenvolvido em conjunto com os profs. Celinalda Mesquita Santana; Eduardo Alexandre Dantas da Veiga; Ingrid Ferreira Fonseca; Marcelo Miragaya dos Santos; Randeantony da Conceição do Nascimento.

Essa foi uma experiência bastante fértil, até mesmo porque foi desenvolvida por um grupo de pesquisas. A primeira fase do trabalho consistiu na realização de reuniões periódicas para discussões sobre as especificidades do trabalho com a catalogação das fontes. Nessa fase foram apresentadas as injunções teóricas sobre o assunto (a importância das fontes para o trabalho do historiador; os conceitos de fontes; as fontes possíveis) e as necessidades básicas para tal trabalho (como catalogar; quais instrumentos usar; o que catalogar; como selecionar; como disponibilizar e divulgar). Além disso foram discutidas as estratégias de trabalho (com quais periódicos começar; como dividir o trabalho). Após a fase inicial, foram distribuídas tarefas e marcadas reuniões periódicas de avaliação.

Para começar nosso trabalho selecionamos aqueles periódicos mais antigos, pois não são só os menos conhecidos, como muitas vezes estão em péssimo estado de conservação. Foram eles: os Arquivos da Escola Nacional de Educação Física e Desportos (1945-1968); Revista de Educação Física da Escola de Educação Física do Exército (1932-1959); Educação Physica – Revista Technica de Esportes e Athletismo (1932-1945); Revista Brasileira da Educação Física (1945-1955) e Boletim da Educação Física da Divisão da Educação Física (1941-1958).

Os exemplares desses periódicos podem ser encontrados na Biblioteca Nacional do Rio de Janeiro e em algumas bibliotecas espalhadas pelo país, inclusive na Universidade Gama Filho (hoje uma das melhores bibliotecas específicas no Rio de Janeiro) e na Universidade de São Paulo (uma das melhores bibliotecas específicas no Brasil).

Pragmaticamente, a divisão das tarefas se deu da seguinte maneira:

a) foram selecionados os periódicos por ordem de trabalho; cada periódico de uma vez. Somente depois que tivéssemos catalogado todo o periódico, partiríamos para outro;

b) cada participante da rede ficou responsável por um determinado número de exemplares desse periódico, sendo também estabelecido um limite de tempo para a execução da tarefa. A tarefa começava com a catalogação manual dos artigos em fichas próprias (lamentavelmente não tínhamos um *notebook*, que facilitaria muito nosso trabalho) e terminava com a passagem dos conteúdos levantados para o *software*[114];

c) ao final de cada periódico nos reuníamos para avaliação, relato das experiências, identificação dos problemas e divisão das novas tarefas.

Os artigos foram catalogados por título, autor, periódico onde foi publicado (com informações completas acerca deste) e palavras-chaves. A esco-

---

[114] Ver ainda neste capítulo mais informações sobre o uso de *softwares* no levantamento de fontes.

lha de palavras-chaves, embora importante, trazia-nos uma dificuldade: como selecioná-las, principalmente em uma época em que os assuntos não eram tão delineados como hoje. Deveríamos então escolher termos que pudessem identificar com clareza o conteúdo desejado para a possível e fácil recuperação do artigo. Na verdade, somente no decorrer do trabalho fomos uniformizando tais palavras e resolvemos usar termos mais genéricos, de forma a não promover sub-classificações que pudessem vir a confundir o usuário. Assim, todos os artigos ligados à ginástica, por exemplo, foram catalogados na palavra-chave "Ginástica" e não em divisões como "Método Francês".

Vejamos outro exemplo. O artigo "Os médios de ala e suas atribuições defensivas e ofensivas – relevância da posição na equipe – a marcação de adversários", de Mário Miranda Rosa (1945)[115] foi classificado em "Futebol" e "Treinamento desportivo". Logo, tanto quem se interessar por futebol, quanto por treinamento desportivo, ou quem desejar cruzar os termos, pode localizar com tranquilidade o artigo.

Para identificar as palavras-chaves relativas a cada artigo, optamos por usar inicialmente os títulos dos artigos. Caso houvesse alguma dúvida e/ou não fosse possível identificar pelo título, líamos os mesmos na íntegra. Para uniformizar ainda mais, discutimos e revisamos todos os artigos catalogados, visando eliminar discrepâncias entre as apreensões dos pesquisadores da rede.

Com relação à seleção dos artigos, houve uma preocupação em selecionar aqueles que pudessem diretamente interessar aos pesquisadores e pudessem fornecer dados relevantes para a área de estudo. Cabe esclarecer isso, já que os periódicos muitas vezes publicavam artigos com assuntos completamente distanciados de nossa área, sem falar em propagandas, notícias de reuniões sociais, fotos perdidas entre as páginas, entre outros[116].

No processo de catalogação as dificuldades foram diversas. Algumas fontes, por exemplo, são encontradas nos catálogos mas não nas estantes. Outras estão em péssimo estado de conservação. Aliás, é mais do que urgente um projeto para recuperar tais fontes, antes que as mazelas do tempo eliminem parte significativa de nossa memória. Enfim, as dificuldades foram as tradicionalmente encontradas por pesquisadores, principalmente aqueles que trabalham com recuperação de fontes em um país que durante muitos anos não tomou cuidado com a sua memória.

---

[115] ROSA, MÁRIO MIRANDA. Os médios de ala e suas atribuições defensivas e ofensivas – relevância da posição na equipe – a marcação de adversários. *Revista Brasileira de Educação Física*, Rio de Janeiro, ano 2, n. 46, p. 54-57, abr./1945.

[116] Esses elementos dos periódicos podem até ser interessantes para ilustrar e/ou servir como fonte para algumas abordagens históricas, mas preferimos nesse momento dar prioridade aos artigos.

Devido a problemas operacionais com o grupo de trabalho, lamentavelmente não conseguimos concluir a catalogação dos periódicos citados, nem tampouco partir para as outras fases do projeto inicialmente planejadas: a) catalogação de periódicos das décadas de 70/80/90, e b) analisar o material já coletado, tentando compreender um perfil do "desenvolvimento científico" de nossa área no decorrer do tempo; uma espécie de "história das ideias" de longa duração da Educação Física brasileira.

De qualquer forma, grande parte do trabalho foi realizado, e inclusive, divulgado em eventos científicos e periódicos. Mais ainda, esse trabalho acabou dando origem a um novo projeto, que pretende não só finalizar o projeto anterior, como aperfeiçoar as possibilidades de divulgação dos catálogos de artigos publicados em periódicos nacionais: o projeto "Série Bibliografias".

Série Bibliografias[117]

> "Não sendo possível conhecer toda a produção editorial, mesmo de um único idioma, urge que se organizem bibliografias temáticas, válidas e metódicas, capazes de orientar estudiosos ou profissionais, no plano dos seus interesses específicos e tendo em atenção os respectivos idiomas" (Viana *apud*. Ramos, 1963, p. 94)[118].

A citação acima foi retirada de uma saudação que o prof. Mário Gonçalves Viana, na época diretor do INEF de Portugal, fez ao prof. Jayr Jordão Ramos, por ocasião da publicação de uma pequena bibliografia luso-brasileira de Educação Física. Mesmo tendo sido escrita há 25 anos, nela podemos encontrar algumas motivações para a publicação de bibliografias.

Se em 1963 não era possível ter conhecimento de toda produção bibliográfica, imaginemos nos dias de hoje, quando não só a produção é mais fértil (pelo menos no aspecto quantitativo) como os meios de difusão dessas informações se ampliaram notavelmente. Mais ainda, a imensa produção do presente muitas vezes nos faz esquecer da importante produção do passado, de mais difícil acesso, algumas mesmo quase extintas ou em fase de extinção, já que só recentemente temos nos preocupado com a conservação de nossos "papéis velhos".

Cabe destacar que aquela produção é muito mais do que pejorativamente "papel velho". Lá encontramos um claro retrato do desenvolvimento de

---

[117] Esse projeto tem sido desenvolvido em conjunto com a profa. Silvana Vilodre Goellner.

[118] Ramos, Jayr Jordão. Bibliografia Luso-Brasileira de Educação Física. *Arquivos da ENEFD*, Rio de Janeiro, ano 19, n. 18, p. 93-117, jun-dez./1963.

nossa área de conhecimento, os caminhos pelos quais trilhamos, que podem apontar interessantes indicadores para que melhor compreendamos e orientemos nossos passos no presente.

Mas os que tiverem a curiosidade de estudar mais detalhadamente alguns daqueles artigos podem se surpreender. Algumas vezes parece que cultivamos uma compreensão de que somente no presente se encontram os avanços, a *vanguarda*, o *progresso*. Os que se dispuserem a mexer um pouco naqueles papéis já amarelados encontrarão informações que podem desmistificar tal compreensão. Algumas discussões, surpreendentemente ainda atuais, lá também são encontradas, dando-nos por vezes a impressão que avançamos menos do que superdimensionamos, no que se refere a alguns assuntos.

Assim, com a série "Bibliografias" pretendemos dar a conhecer o perfil de nossa produção científica (por que não usar tal termo?) no decorrer do tempo. Esperamos contribuir para que os pesquisadores de hoje localizem melhor e compreendam as mais diversas possibilidades de olhar para nossa área de conhecimento. Cabe lembrar que por trás desses aparentemente frios artigos estiveram seres humanos, apaixonados e com os mais diferentes desejos, emoções, pretensões.

Sentimos realmente a necessidade de que, dentro de nossas possibilidades, cataloguemos nossa produção editorial. E o projeto "Bibliografias" é bastante audacioso. Nosso Intuito é catalogar e divulgar o máximo que pudermos dessa produção no Brasil, começando pelos artigos publicados em periódicos. Entre os periódicos, optamos por começar pelos mais antigos, alguns dos quais inclusive lamentavelmente desconhecidos por parte significativa de nossos pesquisadores.

Optamos por começar pelos "Arquivos da ENEFD", principalmente devido ao diferente perfil desse periódico; à facilidade operacional, uma vez que tínhamos acesso e vínhamos trabalhando com seus exemplares, e porque a Escola Nacional de Educação Física e Desportos da Universidade do Brasil, hoje Escola de Educação Física e Desportos da Universidade Federal do Rio de Janeiro, está completando 60 anos em 1999, logo, comemoramos essa importante data para a Educação Física brasileira.

Assim, esta bibliografia mais do que sua utilidade direta, pretende também ser uma homenagem àqueles que de alguma forma contribuíram para nossa formação. Também uma homenagem a Jayr Jordão Ramos e Laércio Elias Pereira, que no seu tempo e de sua forma, já entabularam iniciativas na construção de bibliografias.

A "Bibliografia dos Arquivos da Escola Nacional de Educação Física e Desportos", em fase final de edição, é a primeira de uma série, já de certa forma iniciada com a publicação da "Bibliografia Brasileira de História da

Educação Física e do Esporte"[119]. Nesta bibliografia estão sendo apresentados 284 artigos, de mais de 90 autores diferentes, catalogados em 55 palavras-chaves.

Pelas ideias que apresentamos pode parecer muito ambicioso e trabalhoso catalogar a imensa produção sobre a Educação Física e o Esporte no Brasil. É realmente um projeto grandioso, uma luz no fim do túnel. Se não chegarmos a essa luz, esperamos chegar o mais perto possível dela. Até porque já é a hora de realmente nos empenharmos em construir um trabalho mais aprofundado sobre a história das ideias em nossa área de conhecimento.

O Uso de *Software* para Recuperação das Informações

Tão importante quanto catalogar as referências deve ser o processo de acesso e divulgação das informações. Em todas essas experiências estivemos preocupados em operacionalizar ações que facilitassem o acesso às referências. Chegamos a conclusão que somente um *software* – um banco de dados – poderia nos permitir o alcance desse fim.

Assim, as referências das três experiências podem ser consultadas em um *software*, ou banco de dados, que permite localizá-las por título, autor, local, volume, ano e palavras-chaves. O *software* permite a pesquisa, cruzada ou não, de até seis variáveis. Acreditamos que esse *software* possua algumas vantagens: fácil recuperação da informação; fácil distribuição (apenas um disquete); além de ser um *shareware*, o que permite uma distribuição mais livre. Esse *software* vem sendo distribuído gratuitamente em eventos científicos.

Conclusão

> "Em história tudo começa com o gesto de separar, de reunir, de transformar em 'documentos'[120] certos objetos distribuídos de outras maneiras. Esta nova distribuição cultural é o primeiro trabalho" (Certeau, 1982, p. 81)[121].

---

[119] Genovez, Patrícia de Falco e Melo, Victor Andrade de. *Bibliografia Brasileira de História da Educação Física e do Esporte*. Rio de Janeiro, 1998. Na primeira versão desse trabalho foram catalogados 370 artigos publicados em anais de congressos, 61 capítulos de livros, 90 livros, 135 artigos em revistas, 33 dissertações/teses. Totalizamos, logo, 689 referências, normalmente catalogadas em mais de uma palavra-chave.

[120] O autor aqui usa o termo "documento" fazendo referência a todos os tipos de fontes.

[121] Certeau, Michel. *A escrita da História*. Rio de Janeiro: Forense, 1982.

A grande importância, cremos, do acervo levantado não se encerra na quantidade de títulos levantados, mas sim nas especificidades e qualidade das obras. Ao organizar catálogos de fontes sempre esperamos que possam servir a muitos profissionais que se debatem na busca de informações mais apuradas sobre seu objeto de estudo.

Mais do que isso, esperamos estimular outros pesquisadores a efetivamente tomarem atitudes semelhantes em relação a outras bibliotecas e/ou arquivos que estejam a seu alcance. Somente dessa forma estaríamos um pouco a impedir o esquecimento e a ignorância de material de tamanha importância. Esperamos que as experiências aqui apresentadas possam servir como estímulo para desencadear em nossa área um amplo trabalho de levantamento de fontes: de vários tipos (documentais, iconográficas, orais etc.); de vários locais (museus, arquivos, bibliotecas etc.); de vários períodos.

Enfim, pensamos que a importância deste tipo de trabalho consiste em:

a) contribuir para a otimização do tempo do pesquisador;

b) contribuir para chamar a atenção dos pesquisadores sobre a importância da busca e diversificação de fontes;

c) não menos importante é chamar a atenção para a necessidade de preservação dos acervos das bibliotecas brasileiras.

Capítulo III

ARTE POPULAR E NOVAS POSSIBILIDADES DE ESTUDO DA HISTÓRIA DA EDUCAÇÃO FÍSICA E DO ESPORTE[122]

Introdução

Nos cursos de formação de professores de Educação Física, o ensino dos conceitos básicos relacionados com o esporte e sua evolução histórica vem se fazendo quase que exclusivamente com o auxílio de livros didáticos. Estes, agentes culturais por excelência, são concebidos como:

> "... aqueles que se destinam a instruir, coadjuvando o trabalho do professor numa área qualquer de conhecimento humano" (Sobral, 1992, p. 12)[123].

Tendo como objetivo apresentar os conteúdos de disciplinas curriculares, esses livros são idealmente e seletivamente organizados na medida que se apresentam em determinadas sequências, parcelas do conhecimento humano. O livro didático, seja qual for, não é neutro.

Por isso, professores comprometidos com uma visão progressista do processo de formação costumam criticar a estrutura destes livros, propondo discuti-las em seus aspectos sociais, culturais, políticos e ideológicos. Em resumo, os livros didáticos são geralmente repetitivos e mecânicos, vinculam-se a uma dada visão de mundo e realidade dos autores. São fragmentados e arrolam quase que exclusivamente autores consagrados pela "acade-

---

[122] Grande parte dessa pesquisa foi desenvolvida em conjunto com o prof. Alfredo Gomes de Faria Júnior.

[123] Sobral, Vera Maria Mendes. O ensino de literatura no segundo grau: aplicação do método semiológico. Niterói: UFF, 1992.

mia". Muitas vezes, através dos livros didáticos, valores e representações das elites são reverenciadas a cada dia pelos alunos.

Com isto não se está aqui advogando a exclusão do livro didático do processo de formação de professores. Pretende-se colocar em questão se, de fato, certos textos, tão consagrados, se prestariam melhor do que outros objetos a levar o estudante a reflexão sobre o esporte.

Além disso, os estudos ligados a História da Educação Física e do Esporte no Brasil pouco têm considerado formas "alternativas" de fontes em seu desenvolvimento. Uma parte significativa se utilizou de fontes documentais, normalmente autores consagrados da década de 80/90, e pouco se preocupou com o uso de fontes primárias[124]. Não se pode também perceber o uso de testemunhos involuntários[125].

Longe de afirmar que obras consagradas não se prestam ao estudo de nossa história e de afirmar que o uso do documento é dispensável, parece que os estudos históricos na Educação Física brasileira ainda não descobriram que "fonte", para muitos historiadores, pode ser considerada como tudo o que se presta a contar a história, todos os vestígios que nos permitam ampliar a compreensão histórica. Tal utilização pode vir a contribuir com a História da Educação Física e do Esporte no Brasil ao trazer novas visões, novos enfoques e mesmo novos acontecimentos, que podem permitir tornar mais múltiplo nosso entendimento dessa história.

Neste trabalho pretende-se verificar a possibilidade de ampliar o espectro de estudo do esporte e de sua evolução histórica, de forma a considerar a apreensão de indivíduos que não viveram diretamente o esporte, através da utilização de uma forma de testemunho involuntário, fonte ainda não utilizada com fins específicos para o estudo de nossa história: a arte popular.

A ARTE COMO POSSIBILIDADE

Nesse estudo a arte foi o meio escolhido para tentar buscar novos elementos, novas interpretações, ou, ao menos, estimular alguns questionamentos. Na concepção tradicional, o público contempla a obra de arte, sem dela participar, pois essa obra aurática mantêm-se no seu distanciamento, na sua estranheza, no seu algo inatingível (Benjamim, 1980)[126]. Com a transforma-

---

[124] Ver maiores informações no capítulo II desse livro.

[125] Testemunho involuntário é "...tudo aquilo que não foi redigido com o fim expresso de testemunhar sobre algo, mas que o historiador descobre e transforma em testemunho" (Cardoso, 1994, p. 60).

[126] Benjamim, Walter. A obra de arte na época de suas técnicas de reprodução. In: Benjamim, Horkheimer, Adorno, Habermas: textos escolhidos. São Paulo: Abril, 1980.

ção do conceito de arte, não mais a concebemos somente como expressão, mas a percebemos construída (Chalub, 1986)[127], isto é, vinculada a realidade dos problemas socioeconômicos que lhe são contemporâneos.

> "A arte (...) sempre foi e continua a ser uma força de protesto contra a pressão das instituições que representam a repressão autoritária, religiosa e outras, enquanto que delas reflete igualmente, claro está, a substância objetiva" (Adorno *op. cit.* Assoun, 1991, p. 91)[128].

Diferentemente da visão do texto como objeto único, monológico e autoreferencial, típico de uma concepção absolutista, o teórico russo Mikhail Bakhtin (1979)[129] demonstra uma outra possibilidade. Para ele a linguagem humana é um produto eminentemente social, portador dos valores das diversas classes sociais. Aceitando-se tal premissa, pode ser possível que a análise da obra de poetas e músicos populares, em determinado momento histórico, nos forneça, por exemplo, indicadores sobre uma determinada *visão popular* de esporte nesse período.

Assim, optou-se por escolher para análise a obra de Noel Rosa (289 letras de músicas), considerado por João Máximo e Carlos Didier (1990)[130] como um compositor crítico e perceptivo da realidade de seu tempo. Noel foi um fenômeno de pioneirismo na música popular brasileira, inovando nas estruturas melódicas, nas letras (com a utilização de gírias e neologismos) e principalmente nos temas (onde procurou considerar aspectos da vida social, política e cultural brasileira). É interessante observar que a transformação rítmica é vista por Theodor Adorno (*in* Assoun, *op. cit.*)[131] como uma das formas mais sutis de interferência na sociedade.

Isto não significa dizer que Noel Rosa não era exatamente o que se pode chamar de um sujeito engajado na transformação da sociedade, compreendida nos seus sentidos mais usuais (como a militância em partidos políticos, sindicatos etc.), embora em sua essência fosse *"... um autêntico e comprometido intérprete da voz do povo e da terra do Rio de Janeiro"* (Antônio, 1977, p. 4)[132]. Noel chega mesmo a ter noção do caráter de sua obra, como declara ao jornal O Globo, em 31 de dezembro de 1932:

---

[127] Chalub, Samira. *A metalinguagem*. São Paulo: Ática, 1986.

[128] Assoun, Paul. *A Escola de Frankfurt*. São Paulo: Ática, 1991.

[129] Bakhtin, Mikhail. *Marxismo e filosofia da linguagem*. São Paulo: Hucitec, 1979.

[130] Máximo, João, Didier, Carlos. *Noel Rosa: uma biografia*. Brasília: UNB, 1990.

[131] Assoun, 1991, *op. cit.*

[132] Antônio, João. *Noel Rosa – literatura comentada*. São Paulo: Abril, 1982.

"Antes a palavra samba tinha um único sinônimo: mulher. Agora já não é assim. Há também o dinheiro e a crise. O nosso pensamento se desvia também para esses gravíssimos problemas".

Conhecido como filósofo do samba, segundo Antônio (*ibid.*) estava sempre atento ao espírito com que o povo e a coisa popular se acasalavam. Isso nos levou a crer que sua obra fosse bastante interessante para nosso estudo. O período em que compôs também foi considerado para tal escolha. As décadas de 20 e 30 foram especialmente importantes para a Educação Física e Esportes, principalmente no que tange a sua institucionalização e popularização.

Não possuindo nenhuma ligação com o esporte, muito menos com a Educação Física, será que, nas letras de Noel, aspectos desses objetos teriam sido relatados? Qual a concepção de esporte reproduzida e presente em sua obra? Será que suas músicas explicitavam alguma concepção? Será que o esporte não lhe passou desapercebido? Esses foram questionamentos que balizaram nossa pesquisa.

Noel Rosa : sua Música e o Esporte

Foram analisadas as letras das 289 composições de Noel Rosa, examinadas em dois níveis: a) manifesto, representado pelas estruturas linguísticas (palavras, frases etc.); b) latente, onde encontramos a ideologia, o sistema de ideias-representações, revelado ao se analisarem as mensagens para estudar os mecanismos de escolha e combinação. Foram encontradas 8 letras que fazem referência ao esporte:

Conversa de Botequim (1935)

Uma das mais conhecidas composições de Noel é um incrível relato sobre a cidade do Rio de Janeiro, seus cafés e bares, o interesse ainda vago pelo futebol. A citação ao futebol aparece perdida em meio a outras de maior imponência e importância. O futebol, embora começasse a penetrar profundamente nas mais diversas camadas, possivelmente ainda não lograva da mesma popularidade de hoje. O próprio Noel pouco se interessava. Acredita-se que torcia para o pequeno Andaraí F.C., time que sobreviveu a duras penas até receber em 1937 uma goleada do C.R. Vasco da Gama, quando extinguiu-se. Como terá sido a penetração do futebol nas diversas classes? Frequentemente argumenta-se que o começo de sua prática se deu com as elites econômicas, mas como será que a classe trabalhadora teve acesso? Tal letra de Noel está longe de responder a essas perguntas, mas com certeza nos estimula a buscar suas respostas.

Mulher indigesta (1932); *Quem não dança* (1932); *A melhor do planeta* (1934) e *Negócio de Turco* (193?)

Em todas essa letras o compositor faz uso de termos futebolísticos, ainda utilizados na forma original da língua inglesa. Aos poucos o vocabulário do futebol penetra no linguajar popular, adaptado as mais diversas situações. Na primeira letra, Noel utiliza os termos *center-half* e "linha" para criticar a marcação cerrada das vizinhas aos seus constantes namoros. Na segunda, usa os termos em uma brincadeira musical de rimas em forma de partido-alto. Na quarta letra, Noel cita o Clube de Regatas Vasco da Gama, de forma a ironizar os portugueses residentes no Rio de Janeiro, normalmente torcedores desse clube. Mas é de fato em "A melhor do planeta" que o uso adaptado de termos futebolísticos fica claro. O compositor critica a pretensão de uma mulher que se julgava superior por dançar em um clube da "liga barbante"[133] (liga secundária, não oficial de futebol), se julgando melhor que o Palestra (antiga denominação do Palmeiras, clube de futebol paulista). A inserção do futebol, e possivelmente de alguns outros esportes, em nosso vocabulário, é de fato assunto que merece estudo mais aprofundado.

Quem dá mais? (1930)

Também conhecida como "Leilão do Brasil", faz uma intensa crítica ao sucateamento da cultura nacional, para Noel possível de ser resumida no nosso violão (música), no nosso samba e na mulata (nossa mulher).

Relata uma das muitas falcatruas que possivelmente ocorreram na época. A Companhia Nacional de Fumos Veado promoveu o "Grande Concurso Monroe" para escolher o melhor jogador de futebol do Brasil. O voto seria dado com o envio de uma maço de cigarros. O jogador Russinho, bom jogador, mas considerado de segunda linha por grande parte da imprensa, numa época de grandes craques, ganhou o título e uma Barata Crysler como prêmio, já que os ricos portugueses compraram caminhões de cigarro exclusivamente para o concurso. Imagine como seria interessante estudar o esporte a partir das diversas falcatruas que como essa estiveram (e estão) a ocorrer.

---

[133] As ligas barbantes eram assim denominadas analogamente às tampas de barbante das cervejas caseiras de pior qualidade.

Mulato Bamba (1931) e *Tarzan, o filho do alfaiate* (1936)

Por último, deixei as letras que, entre aquelas que possuem ligação com o esporte, se apresentam mais críticas e esclarecedoras no que se refere aos objetivos desse estudo. A primeira relata a única alternativa esportiva de um mulato forte do morro do Salgueiro: fugir do "tintureiro", codinome com que se costumava designar as viaturas policiais. Noel percebia que esporte de "preto" e "pobre" era fugir da polícia, expressando bem as parcas possibilidades esportivas para a camada popular da época.

Na segunda letra encontramos a perfeita definição "noelina" de esporte. Noel se considerava totalmente excluído, e trata isso com grande ironia, na medida que o esporte somente era permitido aos fortes e musculosos, características que absolutamente não possuía. Critica o caráter estético da cultura física da ocasião e os interessados em ter o corpo forte semelhante a Rodolfo Valentino e Jonny Weismuller, atores de sucesso. As questões estéticas parecem captar o compositor, e estavam inerentes à prática de atividades físicas.

Conclusões

O objetivo dessa pesquisa foi verificar as possibilidades de estudo da História da Educação Física e do Esporte no Brasil a partir da utilização de fontes ainda não utilizadas: as letras das músicas de um grande poeta popular. O primeiro sentimento após a análise das letras foi o de decepção. Somente 8 obras (2,8% de todas as obras analisadas) trazem considerações que poderiam, a princípio, não ter grandes significados. Esse sentimento logo se desfez ao mudar-se o enfoque da observação.

Esperar um grande número de letras é cometer um erro inicial: não perceber que essa escassez por si só é denunciadora. O esporte ainda não era um fenômeno que movimentava massas e ainda não dispunha de fortes aliados como o rádio, ainda bastante recente no país, e a televisão. O número de citações ao futebol e a incorporação do linguajar futebolístico nas letras de Noel, no entanto, pode significar a sua percepção, ou a influência que sofreu, da ascendente presença e influência dessa prática esportiva entre a população.

Noel capta com criticidade o caráter estético e discriminatório da prática esportiva de então. As mulheres não praticavam esporte, e possivelmente não deveriam, segundo as concepções clássicas expressas em algumas de suas letras. E os homens que se envolviam com esporte eram normalmente os da classe economicamente abastada, que perdiam seus dias na praia tentando se parecer ao máximo com os fortes atores da época. Ou os praticantes do futebol, onde já se começava a observar indivíduos das diversas classes sociais. Aos pobres só restavam esportes "alternativos", como fugir da polícia.

A obra de Noel mais instiga do que traz grandes constatações. Parece que essa é exatamente uma das mais férteis possibilidades da utilização desse tipo de fontes. Leva-nos, por exemplo, a suspeitar de alguma criticidade da população, em geral, no que se relaciona a prática de atividades físicas. Lança-nos novas questões, principalmente no que se refere às especificidades dos fatos históricos, que no momento sofrem com o abandono imposto por nós historiadores. Quem já estudou "as ligas barbantes" de hoje e de outrora? Normalmente essa visão da camada popular, a partir dela mesma, não tem sido privilegiada.

Ao estudar a camada popular pode ser possível uma visão mais ampla, diferenciada, múltipla. Mas essas fontes não se prestam somente ao estudo de tais camadas. Fontes como a utilizada nesse estudo podem trazer a tona, e me parece que esse estudo comprova isto preliminarmente, novos elementos, novas abordagens, novos problemas e mesmo novas interpretações. Mas só a utilização constante e frequente, sem que isso signifique o abandono do documento escrito tradicional, pode potencializar tais contribuições e permitir um melhor trato metodológico, normalmente mais complexo devido a natureza da fonte elencada.

Capítulo IV

ALBERTO LATORRE DE FARIA: 90 ANOS DE VIDA (BIOGRAFIAS E O ESTUDO DA HISTÓRIA DA EDUCAÇÃO FÍSICA E DO ESPORTE NO BRASIL)

> "De igual importância é o fato de que precisamos saber como as ideias públicas e coletivas interagem, em nível individual (...) ou na modelação de atitudes pela família, por amigos e meios de comunicação, e mediante a experiência pessoal na infância e na idade adulta, para constituir aquelas milhares de decisões que cumulativamente não só dão forma a cada história de vida, mas constituem também, o rumo e a dimensão de mudança social mais ampla".
>
> (Thompson, 1993, p. 330)[134]

Introdução

Aos 28 dias de março de 1908 nascia na cidade de Cachoeira (Bahia) o terceiro filho de Luís Latorre de Faria e Almerinda Peixoto de Faria. Chamaram-no Alberto. Alberto Latorre de Faria.

De menino do interior da Bahia, Alberto veio para o Rio de Janeiro, atuou como lutador de boxe e de vale-tudo, como militar serviu na Escola de Infantaria, se envolveu com os primeiros momentos de sistematização mais efetiva da Educação Física brasileira, foi auxiliar do Major Pierre de Seguir, na Escola Militar, e nos primeiros cursos que ministrou no Brasil, foi professor do Curso de Emergência de 1929. Escreveu um dos primeiros livros brasileiros sobre defesa pessoal. Como professor fundador da Escola Nacional de Educação Física e Desportos (cadeira XVII – Desportos de Ataque e Defesa), viajou por vários países do mundo representando o

[134] Thompson, Paul. *A voz do passado – história oral*. Rio de Janeiro: Cortez, 1993.

Brasil e a Escola, foi diretor da Escola, membro da Congregação e do Conselho Universitário, apoiou abertamente a greve dos estudantes da ENEFD em 1956/57. Aluno e membro do ISEB, esteve ligado ao Partido Socialista Brasileiro e teve seus direitos cassados pelo Ato Institucional número 5 (aliás, o único professor de Educação Física cassado), foi membro fundador do Partido Democrático Trabalhista (PDT), em 1982, entre muitas outras ações. Esse quadro, sem dúvida, dá a noção de como Alberto é uma das figuras mais interessantes da história da Educação Física no Brasil.

Tive a oportunidade (e o orgulho) de conhecê-lo bem de perto por ocasião da confecção de minha memória de licenciatura, cujo tema era exatamente as contribuições do prof. Latorre para a Educação Física brasileira. Foram seis meses de encontros semanais, muitas fitas gravadas, conversas agradáveis que culminaram com uma monografia sobre sua vida[135]. Foi na época uma experiência fundamental para um jovem pesquisador em início de carreira, cheio de sonhos e boa vontade.

No ano em que Alberto Latorre de Faria completa 90 anos de vida, esse artigo tem como um de seus intuitos homenagear tão importante figura de nossa história. Mas não pretende ser uma homenagem pelo simples prazer de fazê-lo. Pretende discutir algumas contribuições desse professor para a Educação Física brasileira, em sua bastante peculiar trajetória de vida, recuperando e reorientando algumas considerações traçadas na construção de sua biografia.

Mais ainda, pretendo discutir alguns possíveis caminhos para o estudo da história da Educação Física brasileira a partir de histórias de vida. Será que a vida de um indivíduo pode nos ajudar a compreender historicamente nossa área de conhecimento? De que forma? Não seria muito limitado pensar na dimensão histórica de uma área de conhecimento somente a partir de um indivíduo? Essas são algumas questões que pretendo também abordar no decorrer desse artigo.

Creio que tal compreensão seja de grande importância, pois se chegarmos à conclusão que as trajetórias individuais podem ser relevantes para ampliar nossa compreensão sobre a Educação Física brasileira, devemos urgentemente começar a nos preocupar com trabalhos dessa natureza, principalmente se considerarmos que o depoimento oral pode ser de grande utilidade. Cabe lembrar que figuras importantes de nosso passado têm falecido, e nem sequer temos colhido seu depoimento, suas apreensões, suas com-

---

135 MELO, VICTOR ANDRADE DE. *Alberto Latorre de Faria e a Educação Física brasileira: uma biografia autorizada*. Rio de Janeiro: UERJ, 1993. Memória (Licenciatura em Educação Física). Esse trabalho foi orientado pelo Prof. Dr. Alfredo Gomes de Faria Júnior, a quem agradeço efusivamente pela ajuda e pelo estímulo.

preensões. Ainda mais: sem prestar as devidas homenagens a pessoas que, independente de opções teóricas e visões de mundo diferenciadas, muito contribuíram para o nosso atual estágio de desenvolvimento.

Biografias: Uma Possibilidade para o Estudo da História?

Seria a trajetória de um indivíduo interessante para nos permitir compreender melhor um determinado objeto de estudo? Ou seria a própria trajetória individual o alvo do estudo, por si só, sem injunções maiores? Alvo de muitas desconfianças entre os historiadores, as biografias, entretanto, seguem ganhando espaço. Talvez porque, como afirma Giovani Levi (*in*: Amado, Ferreira, 1996)[136],

> "... a maioria das questões metodológicas da historiografia contemporânea diz respeito à biografia, sobretudo as relações com as ciências sociais, os problemas de escalas de análise e das relações entre regras e práticas, bem como aqueles, mais complexos, referentes aos limites da liberdade e da racionalidade humana" (p. 168).

Parece-me adequado adotarmos uma postura de equilíbrio entre os diversos questionamentos que permeiam as possibilidades da biografia. Ainda mais, assumirmos claramente os seus limites, para que também possamos ressaltar suas potencialidades. Se a macro-estrutura coloca determinantes para qualquer indivíduo, não significa que ele não tenha o poder de subverter e optar por caminhos diferenciados. Tampouco significa que essa opção é fácil e instantânea, tendo que ser construída no decorrer de sua vida. Assim, o que mais nos interessa seria compreender não somente o macro ou o micro, mas de que forma se estabelecem tais relações.

No caso de Alberto, podemos perceber isso facilmente. Embora ex-militar, ex-boxeador e partícipe ativo da elaboração dos pressupostos teóricos da Educação Física na década de 30, no decorrer de sua vida foi construindo um outro caminho, que o diferenciou da maioria de seus pares: fez críticas às influências militares na Educação Física, criticou a violência excessiva no boxe e se envolveu com movimentos e partidos de esquerda, o que lhe causou problemas com o governo militar golpista de 1964.

Apesar dessa mudança, Alberto sempre carregou algumas marcas indeléveis de suas origens. Por exemplo, embora fosse grande sua ligação com

[136] Levi, Giovanni. Usos da biografia. *In*: Amado, Janaína, Ferreira, Marieta de Moraes. *Usos e abusos da História Oral*. Rio de Janeiro: Fundação Getúlio Vargas, 1996. p. 167-182.

os alunos e sua vontade de repensar a Educação Física brasileira, suas aulas ainda eram desenvolvidas segundo o que hoje podemos chamar de pedagogia tradicional. Embora tivesse escrito muitos artigos sobre os problemas da violência no boxe, alguns alunos reclamavam que em suas aulas a agressividade era denotada. Essas são incoerências que nos dias de hoje nos saltam aos olhos, mas na época não eram plenamente identificadas por um ser humano em mudança constante. E se não podemos nos furtar a comentar e criticar, não devemos incorrer no risco de presentismos exacerbados. Não devemos querer considerá-las estritamente a partir de pressupostos hodiernos.

Logo, creio que também devemos nos abster de querer estudar isoladamente a vida de um indivíduo tanto por sua irredutibilidade (a originalidade de sua vida, seus pensamentos, suas ações) quanto por sua coerência com as ideias do sistema. Mas, valioso seria compreender como/quando/porque cada indivíduo foi original e quando também não o foi, procurando analisar suas contribuições entre tais dimensões. Especificamente na vida de Alberto, é muito esclarecedora a sua mudança paulatina, fruto de um ambiente nacional de questionamento, mas também de um ambiente de trabalho em plena efervescência.

Kevin B. Wasley (1997)[137] observa que, lamentavelmente, isso não tem sido muito considerado, nas histórias individuais, no âmbito da História da Educação Física e do Esporte. Para o autor, grande parte dos estudos biográficos tem se limitado a se centrar somente na figura do biografado, desconsiderando as injunções ao seu redor:

> "Contudo, esforços no discernimento das influências das estruturas sociais significantes (...) permanecem limitados. Poder e privilégio na sociedade, como aspectos de entendimento, permanecem não descobertos..." (p. 147).

Estaria então colocado o grande desafio: toda biografia tem um limite claro, pois não pode contar completamente a vida de alguém, mas somente alguns aspectos dessa, sempre a partir de uma determinada compreensão de quem escreveu. No caso da biografia do prof. Latorre, também de seu depoimento (pois a história oral foi a metodologia central do estudo) e da relação entre pesquisado-pesquisador. O maior desafio seria não cair na tentação de compreender a vida do pesquisado de forma ordenada e cronológica, de forma homogênea e sempre coerente. Na época da confecção da monografia,

137 WASLEY, KEVIN B. Power and privilege in historiography: constructing Percy Page. *Sport History Review*, volume 28, número 2, p. 146-155, 1997.

estive longe de conseguir tais intuitos. Recentemente tenho tentado reelaborar algumas de minhas percepções, de forma a torná-las mais adequadas e múltiplas.

Por exemplo, agora posso claramente perceber como tentei idolatrar e construir um mito chamado Alberto Latorre de Faria. Mais ainda, ao construir a figura do herói Alberto, tratei de criar um maniqueísmo claro, destinando o papel de "bandido" aos não alinhados à posição do professor. Obviamente para isso contribuíram a minha própria vida (estudante envolvido até a raiz do cabelo com diversos movimentos sociais), mesmo o contexto histórico da Educação Física brasileira no final da década de 80 e principalmente a minha inexperiência e deficiência teórica naquele momento.

Com tal postura idólatra (e ao mesmo tempo iconoclasta) faz-se o feitiço virar contra o feiticeiro. Se um estudo histórico pretende ter um compromisso político claro, e todo estudo irremediavelmente deve tê-lo, melhor seria compreender as ditas irregularidades, as incoerências, muito mais ricas para nos permitir reorientar nossa forma de compreensão e de atuação. Muito mais efetivo seria compreender como o biografado estabeleceu (e/ou não estabeleceu) resistências no seu cotidiano, do que alterar por completo o sentido de sua vida para comprovar teses previamente já determinadas. Isso é, não adiantaria buscar a vida de alguém somente para olhar aquilo que queremos, desconsiderando diversas constatações que podem nos parecer contraditórias.

Um passo fundamental para minimizar tais problemas é a utilização denotada de um referencial historiográfico claro. Possivelmente uma compreensão mais aprofundada do que é um estudo histórico e das possibilidades que a Teoria da História nos reserva, pode nos apontar caminhos mais seguros.

Particularmente tenho defendido tal proposta nos últimos anos. Wasley (*ibid.*) também reforça tal compreensão em seu artigo sobre a construção de histórias individuais no âmbito da História da Educação Física e do Esporte:

> "Reinterpretar as histórias familiares e populares não é uma tarefa fácil, particularmente na história social do esporte, onde o sucesso e a proeza têm sido a base interpretativa do entendimento público e acadêmico" (p. 153).

A utilização de uma construção teórica adequada também afastaria determinados rumores que ainda rondam a realização de biografias e a utilização de relatos orais. Tais rumores ligam-se a questionamentos acerca da objetividade de tais possibilidades. Ora, basta nos afastarmos de compreensões positivistas para que tais críticas sejam relativizadas. O relato oral não é nem mais nem menos objetivo que os documentos escritos. As fontes sempre são produzidas por alguém, com algum objetivo, em um contexto histórico específico e expressando uma determinada forma de pensamento. Logo, são representações e somente a crítica interna das fontes irá descortinar tais fatores.

Àlém disso, cabe-nos aceitar que o historiador não é o detentor da verdade absoluta. O historiador escreve sobre aquilo que vê e interpreta (e assim sendo, é tão importante para a escrita da história quanto a fonte em si). Logo, suas construções são apreensões relativas, fadadas a serem superadas. Não chegaria a fazer eco com Michel Foucault, quando afirmava que não tinha a pretensão de somente ter escrito nada mais do que ficções, mas me sentiria muito seguro para afirmar que sempre escrevi representações, plenamente passíveis de críticas, desconfortos e superações.

Mais isso não significa que estejamos livres para escrever o que bem desejamos, de qualquer forma que bem imaginemos. Muito pelo contrário, nos traz ainda mais a responsabilidade de construir estudos de qualidade, onde a verdade absoluta, se inalcançável, se constitua em uma "luz no fim do túnel"; algo a ser buscado insistentemente, embora inatingível. E nesse sentido, uma compreensão historiográfica é fator *sine qua non*.

> "Por um lado, o reconhecimento da existência de múltiplas narrativas nos protege da crença farisaica e totalitária de a 'ciência' nos transformar em depositários de verdades únicas e incontestáveis. Por outro a utópica busca da verdade protege-nos da premissa irresponsável de que todas as histórias são equivalentes e intercambiáveis e, em última análise, irrelevantes. O fato de possíveis verdades serem iluminadas não significa que todas são verdadeiras no mesmo sentido, nem que inexistem manipulações, inexatidões e erros" (Portelli, 1997, p. 15)[138].

Já que falamos de manipulações e inexatidões, é importante lembrar que temos responsabilidades éticas que devem ser consideradas. É óbvio que o pesquisador tem liberdade para proceder livremente suas análises, mas isso não significa distorcer o sentido de depoimentos e documentos, retirá-los de seu contexto e, principalmente, prejudicar o entrevistado. Cabe lembrar que um dos sentidos do uso de depoimento oral é exatamente recuperar a im-

---

[138] Portelli, Alessandro. Tentando aprender um pouquinho – algumas reflexões sobre a ética na História Oral. *Projeto História*, São Paulo, número 15, p. 13-133, abr./1997.

portância do indivíduo, logo nada mais incoerente do que prejudicar esse sujeito[139].

Para não nos alongarmos ainda mais nessa parte introdutória do texto[140], já que o assunto central desse artigo é a vida do prof. Latorre, procuro dimensionar resumidamente o sentido de ter realizado um estudo biográfico. A biografia do prof. Latorre pode nos ajudar a ampliar a compreensão de determinados aspectos da trajetória da Educação Física brasileira em determinado período, tanto por ampliar as informações que existem sobre tal momento quanto por nos conceder um outro olhar, uma nova visão. Tal visão não é verídica a priori, mas carrega um *quantum* de veracidade que procurei trabalhar de acordo com minha compreensão historiográfica.

Meu intuito não é analisar sua vida deslocada das injunções estruturais de seu período, tão pouco resumí-las a tal. Cabe-me aceitar o desafio de compreender a complexidade de sua existência, uma existência marcada pela originalidade de ações, tentando daí colher os melhores resultados para alcance do intuito original, sempre levando em conta que *"a vida individual é o veículo concreto da experiência histórica"* (THOMPSON, *op. cit.*, p. 238)[141]. Cabe-me também homenageá-lo: pelo que fez e pelo que também não foi possível fazer.

---

139 Para um aprofundamento sobre as questões éticas ligadas a História Oral, sugiro o artigo de Alessandro Portelli (*ibid.*).

140 Os interessados em discussões mais aprofundadas sobre o desenvolvimento de estudos biográficos e a utilização de depoimentos como fontes, sugiro os estudos: ALBERTI, VERENA. *História Oral: a experiência do CPDOC.* Rio de Janeiro: Fundação Getúlio Vargas, 1989; BOURDIEU, PIERRE. A ilusão biográfica. *In*: AMADO, JANAÍNA, FERREIRA, MARIETA DE MORAES. *Usos e abusos da História Oral.* Rio de Janeiro: Fundação Getúlio Vargas, 1996. p. 183-191; CAMARGO, ASPÁSIA. O ator, o pesquisador e a História: impasses metodológicos na implantação do CPDOC. *In*: NUNES, EDSON DE OLIVEIRA (org.). *A aventura sociológica.* Rio de Janeiro: Zahar, 1978; CAMARGO, ASPÁSIA. Quinze anos de História Oral: documentação e metodologia. *In*: ALBERTI, VERENA. *História Oral: a experiência do CPDOC.* Rio de Janeiro: Fundação Getúlio Vargas, 1989. p. I-X; CORREA, CARLOS HUMBERTO. *História Oral – teoria e técnica.* Florianópolis: UFSC, 1978; FERREIRA, MARIETA DE MORAES (coord.). *Entre-vistas: abordagens e usos da história oral.* Rio de Janeiro: Fundação Getúlio Vargas, 1994; MEIHY, JOSÉ CARLOS SEBE. *Manual de História Oral.* São Paulo: Loyola, 1996; ROSENTHAL, GABRIELE. A estrutura e a *gestalt* das autobiografias e suas consequências metodológicas. *In*: AMADO, JANAÍNA, FERREIRA, MARIETA DE MORAES. *Usos e abusos da História Oral.* Rio de Janeiro: Fundação Getúlio Vargas, 1996. p. 193-200; além dos já citados.

141 THOMPSON, 1991, *op. cit.*

Se não fosse possível colocar por completo a vida do prof. Latorre em uma monografia, tampouco seria possível abordá-la inteiramente no reduzido espaço desse artigo. Desta forma, tentarei enfocar prioritariamente os aspectos de sua vida mais diretamente ligados a sua atuação na Educação Física, utilizando como eixos de análises o que considero como suas principais contribuições a nossa área de conhecimento. Perceber-se-á que esses eixos não são estanques, estando inextricavelmente relacionados.

O envolvimento de Alberto Latorre de Faria com as lutas (principalmente com o boxe) – sua preocupação com a redução da violência e com a metodologia de ensino.

O prof. Latorre se envolveu com o boxe quase ocasionalmente. Chegara ao Rio de Janeiro em 1925 e logo procurara uma maneira de melhorar sua forma física, bastante frágil devido às doenças que tivera na infância. Na cidade já eram encontráveis e valorizados os tipos físicos com a musculatura desenvolvida e bem delineada, personificados nas figuras de Johnny Weissmuller e Rodolfo Valentino.

Matriculou-se então na academia de Enéas Campelo, situada no centro da cidade. Enéas era na época um professor dos mais conhecidos e sua ginástica era baseada no levantamento de peso para desenvolver força. Com bastante dificuldades no início, afinal não havia barras adequadas a sua fragilidade, com o tempo os resultados começaram a ser notáveis.

Aprendeu algumas posições de boxe em um livro francês que, por acaso, chegou às suas mãos, procurando praticá-las após as aulas em frente ao espelho. Nessa mesma época, perto de sua casa em São Cristovão, foi aberta a primeira escola de boxe da cidade: o São Januário Boxing Club. Foi lá que pela primeira vez Alberto praticou esse esporte sob orientação, ainda que a metodologia fosse ineficiente. Oficialmente, o boxe nascera no Brasil há apenas sete anos, com a criação de comissões municipais em São Paulo, Santos e Rio de Janeiro. Mas centenas de jovens já o praticavam, ainda que

> "...sem a menor orientação técnica. Não havia sequer uma só pessoa nesse país que realmente pudesse ensinar sequer o bê-a-bá do pugilismo. Era tudo feito empiricamente, 'de ouvido', em academias e ringues improvisados" (Matteucci, 1988, p. 13)[142].

[142] Matteucci, Henrique. *Boxe: mitos e histórias*. São Paulo: Hemus, 1988.

Daí para frente seu envolvimento com o boxe foi cada vez maior, tendo sido lutador amador, depois contratado por diversas companhias de boxe[143], árbitro de diversas competições[144], consultor da federação e partícipe ativo em muitas iniciativas[145]. Sem falar que foi o professor fundador da cadeira XVII (Desportos de Ataque e Defesa) na Escola Nacional de Educação Física e Desportos (ENEFD), sendo o principal responsável pelo ensino do boxe. Assim, mesmo tendo encerrado sua carreira como lutador de boxe já no final da década de 30, Alberto esteve envolvido com o boxe até a década de 70.

Desde seus tempos de lutador, era conhecido pelo público e pela imprensa em geral como um valoroso e gentil *sportsman*. Poucas não foram as vezes que concedeu entrevistas criticando o excesso de violência nos estádios. Os estádios Brasil e Riachuelo, locais cariocas onde se desenvolviam as lutas, eram verdadeiros palcos de agressividade, onde o público sedento de violência contava com a complacência de árbitros despreparados e de técnicos que de tudo faziam para vencer, inclusive "pentear" as luvas de quatro onças de seus atletas; isto é, afastar a cobertura nas regiões proeminentes das mãos para potencializar os golpes. Alguns lutadores sempre apanhavam muito, mas continuavam a tentar, pois o valor das bolsas de premiação eram atraentes.

No que se refere à violência no boxe, uma de suas maiores preocupações era a mudança da luva de quatro para seis onças. De fato, foi um dos responsáveis por tal mudança. Mas a maior contribuição de Alberto foi o seu trabalho "O Punch-Drunkness"[146], apresentado no Congresso Sul-Americano de Educação Física de Montevidéu, sendo agraciado com menção honrosa.

Nesse estudo é abordado o estado patológico que surge entre aqueles que sofreram sérios ou frequentes traumatismos na cabeça. Alberto fez uma revisão da escassa literatura, toda norte-americana, procurando levantar efeitos e causas, propondo precauções, inclusive com mudança de regras. O

---

143 Pela primeira vez em 1934, pela 'Empresa Pugilística S.A.'. Segundo Alberto, ele nunca chegou a ser profissional, mas sim um "amador marrom", com contratos de gaveta. Os preconceitos para com os pugilistas, normalmente jovens oriundos da classe trabalhadora, eram imensos. O boxe era considerado um esporte de vagabundos e baderneiros.

144 Inclusive nas eliminatórias para selecionar a equipe brasileira para os Jogos Olímpicos de 1936.

145 Por exemplo, em 1946 a Federação Metropolitana de Pugilismo o convida a participar da comissão para elaborar anteprojeto dos estatutos e da regulamentação desportiva da modalidade. Outro exemplo é ter sido indicado como membro efetivo representante da Confederação de Pugilismo no Supremo Tribunal de Justiça Desportiva para o biênio de 62/63.

146 FARIA, ALBERTO LATORRE DE. O punch-drunkness (domentia pusilística). *Arquivos da ENEFD*, Rio de Janeiro, ano 7, número 7, p. 49-51, jan./1954.

artigo foi concebido a partir da observação dos constantes derrotados que viviam em um estado denominado na ocasião de "sonato", corruptela do espanhol que significa "no mundo da lua". Por mais que seu valor científico possa hoje ser questionado, não há como negar que pela primeira vez no Brasil alguém manifestava esse tipo de preocupação.

O boxe não foi a única luta com a qual o prof. Latorre esteve ligado. Já quando lutador, ao abandonar o boxe, se envolvera com a luta livre. Na verdade, desde que ingressou no exército já vinha tendo aulas de luta livre, passando em seguida a praticar o jiu-jitsu sob supervisão do famoso Ge Omori. Era uma época de grandes desafios e logo o nome de Alberto ganhou os jornais, onde mais uma vez sempre se ressaltava que era um valoroso cavalheiro[147]. Até promotor e juiz de "lutas de vale tudo", ou *catch-as-catch-can*, Alberto foi. Por exemplo, foi o promotor e árbitro do célebre desafio entre Waldemar Santana e Hélio Gracie. Foi até mesmo treinador da guarda pessoal de Getúlio Vargas, já na década de 40[148].

Antes de ser professor da ENEFD, Alberto já tinha se envolvido com o ensino de lutas em vários locais, inclusive na Escola Militar de Realengo e na Escola de Educação Física do Exército (EsEFEx). Foi Latorre o instrutor de defesa pessoal no curso de emergência de formação de professores de Educação Física organizado por Fernando Azevedo e pelo Centro Militar de Educação Física em 1928.

Com tal experiência, sentiu a necessidade e procurou organizar metodologicamente o ensino das lutas para melhor alcance de objetivos claros, sempre atento às suas possibilidades educacionais. Procurava difundir suas ideias nos muitos artigos que escreveu sobre o assunto, publicados nos "Arquivos da ENEFD"[149] e na Revista Brasileira de Educação Física'[150], entre outros periódicos; nos livros publicados sobre o assunto[151]; nas conferências

[147] Alguns exemplos podem ser encontrados no jornal *A Nação* de 3 de janeiro de 1934, no *O Diário de Notícias* de 28 de abril de 1934 e no *A Nação* de 28 de fevereiro de 1938.

[148] Na verdade, Alberto se envolveu com muitas outras lutas, entre as quais teve participação destacada no judô e na capoeira.

[149] Dos treze artigos que publicou nesse periódico, sete foram sobre lutas, sendo seis sobre o boxe, como: FARIA, ALBERTO LATORRE DE. O box – sentido educativo – seu papel na moderna Educação Física. *Arquivos da ENEFD*, Rio de Janeiro, ano 1, número 1, p. 63-64, out./1945; FARIA, ALBERTO LATORRE DE. Breve histórico do boxe. *Arquivos da ENEFD*, Rio de Janeiro, ano 11, número 14, p. 35-41, dez./1959.

[150] Por exemplo: FARIA, ALBERTO LATORRE DE. Noções de técnica pugilística. *Revista Brasileira de Educação Física*, Rio de Janeiro, ano 4, número 45, p. 37-38, dez./1947.

[151] Entre eles, *Boxe ao alcance de todos*, publicado em 1960 pela primeira vez e até hoje editado pela Tecnoprint. Também escreveu, com Waldemar Silva, *Defesa Pessoal* (1951), um dos primeiros livros sobre o assunto a ser editado no Brasil.

e cursos para as quais era convidado; e nos seus trabalhos apresentados em congressos. De cada viagem que fazia, para tomar parte em congressos e/ou competições, procurava trazer novas técnicas, novas metodologias e equipamentos para tornar mais adequado o ensino das lutas.

Apesar disso, muitos de seus alunos ainda reclamavam que suas aulas eram muito violentas. É perfeitamente possível que isso realmente tenha ocorrido. Como falamos na introdução, incoerências de um indivíduo em mudança.

A despeito das controvérsias, o nome de Alberto esteve invariavelmente ligado ao desenvolvimento das lutas e de seu ensino no Brasil.

O crescimento da consciência e participação política de Alberto Latorre de Faria

Alberto foi criado em uma família onde a política ocupava espaço especial. Seu pai, Luís Latorre de Faria, era um dos representantes do "seabrismo" na cidade de Cachoeira[152], além de ligado à maçonaria. Fora inclusive devido a tal ligação que, na década de 20, Alberto e sua família tiveram que deixar a Bahia e vir para o Rio de Janeiro. Enfim, viveu em uma família imersa na política local.

Já no Rio de Janeiro, em 1927, entra para a vida militar, servindo inicialmente na Escola de Sargentos de Infantaria (ESI). Foi no exército que Alberto teve a possibilidade de participar dos primeiros momentos mais sistematizados da Educação Física brasileira, desde os primeiros contatos com Pierre de Seguir até a participação como instrutor nos cursos do Centro Militar, na EsEFEx e na Escola Militar.

Foi no exército que o prof. Latorre travou seus primeiros contatos com o marxismo, através de um capitão do seu regimento. Esse capitão procurava passar a vários militares, entre eles muitos sargentos, noções sobre as obras de Marx e Lenin. De fato, os quartéis foram uma porta privilegiada de entrada do pensamento marxista no Brasil, ainda que de forma controvertida. Inicialmente, o pensamento marxista lhe causara um certo incômodo, mas suas relações, inclusive pessoais[153], com o Estado Novo eram intensas. Parece que as diretrizes daquele pensamento ainda ficariam anestesiadas por um tempo em Alberto.

É realmente no final da década de 40 que sua atuação e seu pensamento

---

[152] José Joaquim Seabra foi governador da Bahia e um dos grandes nomes do cenário político nacional no fim do século XIX e início do século XX. Foi também Ministro da Viação e Obras Públicas no governo Hermes da Fonseca (1912).

[153] Alberto manteve inclusive relações de amizade com Getúlio Vargas e sua filha Ivete Vargas.

começam a mudar pronunciadamente, sendo de tal mudança decorrentes suas três outras contribuições mais significativas para a Educação Física brasileira. Para isso contribuem a sua experiência no interior da ENEFD, o próprio momento político da Nação e sem dúvida a sua inquietação intelectual, que o impulsionava a busca de novos desafios.

O auge dessa mudança e de uma atuação política mais organizada somente se torna observável muitos anos depois, quando Alberto ingressa e conclui, em 1959, o curso do Instituto Superior de Estudos Brasileiros (ISEB), sendo chamado para assumir o serviço de cursos e conferências desse Instituto.

Fundado em 1955, no governo de Juscelino Kubistchek, o ISEB foi transformado em órgão de assessoria, apoio e sustentação à política econômica desenvolvimentista. Dos seus conselhos participavam intelectuais de várias áreas, representantes do Estado Maior das Forças Armadas (EMFA) e dos ministérios militares, do Conselho de Segurança Nacional, do Congresso e dos demais Ministérios. O ISEB pode ser visto como um aparelho ideológico do Estado, elaborando uma ideologia pautada na orientação da cultura e direção intelectual, muito interessante ao Estado instituído à ocasião. Na verdade, teoricamente traduziu o populismo e sempre deu ampla cobertura ao desenvolvimentismo. O próprio Kubistchek encampa o nacionalismo, acreditando no capitalismo como alternativa viável à superação do subdesenvolvimento brasileiro (Benevides, 1979)[154].

Mas o ISEB não chegou a patrocinar integralmente tal proposta. No seu interior, em fins de 1958, houve uma cisão entre os fiéis integralmente às ideias originais do Instituto (moderados) e os que discordavam de algumas orientações, principalmente as ligadas ao capital estrangeiro (*ibid.*). Lembremos que entre os mentores intelectuais do ISEB encontramos alguns socialistas notórios, como Roland Corbisier, hoje ligado ao Partido Comunista do Brasil (PC do B), e Nélson Werneck Sodré.

Logicamente esse rico contato leva Alberto a se envolver, acreditar e defender o nacionalismo, sob a égide burguesa e em consonância com a defesa da cultura nacional. Mas também o deixa mais atento ao marxismo e às possibilidades de pensar a realidade brasileira a partir de tal referencial teórico. E sem sombra de dúvida o tornou mais presente nas decisões da política brasileira. Por exemplo, junto com Corbisier e Sodré, o prof. Latorre participa da confecção da plataforma com que o marechal Henrique Lott lançou sua candidatura à presidência da República.

Em 1962 Alberto ainda estava fortemente ligado aos nacionalistas e,

---

[154] Benevides, M. V. M. *O governo Kubistchek – desenvolvimento econômico e estabilidade política.* Rio de Janeiro: Paz e Terra, 1979.

estando filiado ao Partido Trabalhista Brasileiro (PTB), de inspiração Getulista, se lança candidato a deputado estadual com uma plataforma de renovação e combate à corrupção, onde se destacava a defesa e emancipação da cultura nacional.

Cada vez mais afeito ao marxismo e ciente das muitas incoerências do PTB, Alberto desligar-se-ia desse partido, ligando-se ao Partido Socialista Brasileiro (PSB), embora jamais a ele se filiasse oficialmente. Alberto também mantinha muitas relações com membros do Partido Comunista Brasileiro (PCB). Nessa época já era notório o seu amor por Cuba, o que o levou várias vezes àquele país, até mesmo de forma clandestina. Nesse momento, a ligação de Alberto com as ciências sociais, a filosofia e a política já era de grande intensidade, o que o levava a procurar congressos como o II Congresso Brasileiro de Sociologia, realizado em 1962, em Belo Horizonte (Minas Gerais).

Com o golpe militar de 1964 e o fechamento do ISEB, um período bastante conturbado começa em sua vida. Achou por bem não deixar o País, mas suas possibilidades de atuação e participação são cada vez menores, pois mesmo não aderindo ao golpe, também não tomou parte ativa em algumas iniciativas de resistência.

No ano de 1968 é convidado pelos dirigentes estudantis a participar da Passeata dos Cem Mil. Não aceitou o convite, uma vez que, embora achasse um belo gesto, não acreditava em seu sucesso como forma de reverter a situação. Além do mais, decidira tomar uma posição de não-confronto contra a quartelada.

Em 1964, o prof. Latorre já tinha sido tachado de "velho comunista" e "covarde" por um grupo de estudantes (sob a denominação de Frente da Juventude Democrática), em manifesto publicado no *Diário de Notícias*. Alberto responde no mesmo jornal, no artigo "Latorre perdoa jovens por amor"[155], que rejeitava tais rótulos, afirmando que nunca fora comunista, mas sim um nacionalista, trabalhista, humanista, marxólogo e estudioso das ciências sociais. Na ocasião do convite para a passeata de 1968, episódio semelhante ocorrera. Os estudantes da comissão não queriam ouvir suas razões e o taxavam de medroso e veladamente de covarde, o que o levou a definitivamente não mais se posicionar.

De fato, Alberto muitas vezes adotou uma postura mais conciliadora e/ou de não ataque direto. Suas próprias palavras podem nos dar conta que embora tivesse tomado posturas bastante diferenciadas, se aproximando firmemente dos pensamentos de esquerda, sempre manteve alguns pensamentos e posturas de resguardo. Ao afirmar isso, não estou fazendo para acusá-

---

[155] LATORRE perdoa os jovens por amor. *Diário de Notícias*, 26 de julho de 1964.

lo, mas para que possamos compreender melhor sua contribuições a partir desse paradoxo aparente.

Ainda assim, o prof. Latorre foi incluído e teve seus direitos cassados pelo Ato Institucional número 5, respondeu a cinco Inquéritos Policial-Militares, chegou a sofrer alguns atentados e viu muitas portas serem fechadas, inclusive na ENEFD.

Paralelamente a tais acontecimentos, a ENEFD passava por um momento brusco de mudança, também no final dos anos 40. Os médicos, depois de alguns anos de articulação, conseguem assumir a direção e mudam muito as ações e o sentido de sua atuação[156]. Percebe-se uma preocupação crescente com a qualidade da formação profissional, com a pesquisa e com levar a Escola a ocupar efetivamente seu espaço de Escola-Padrão, responsável por liderar o desenvolvimento da área de conhecimento no Brasil.

Nesse contexto, começam a ser notáveis os esforços dos professores no sentido de melhorar a formação profissional. Esse esforço quase sempre estava ligado à busca de atualização dos conteúdos e desenvolvimento de metodologias mais adequadas, normalmente adquiridas pelos professores em congressos e cursos; em outros estados, em outros países e mesmo no interior da ENEFD. Como já visto, Alberto também procurou desenvolver sua cadeira de Desportos de Ataque e Defesa nesse sentido.

Mas um diferencial importante na atuação de Alberto foi sua destacada *preocupação com a formação de um profissional atuante na sociedade.* Seus estudos passam a ultrapassar o campo esportivo, para pensar a Educação Física como uma disciplina, um campo de conhecimento, que poderia ser ou não utilizada para fundação de uma nova ordem social. Essa postura fica ainda mais clara quando se deixa influenciar pela ala mais a esquerda do ISEB e quando se desliga do PTB.

Em 1955 publica o que considera um de seus trabalhos mais importantes. "A profissão de professor de Educação Física (suas implicações culturais) – a universidade como clima adequado a formação de professores de Educação Física"[157] surge como reação aos que afirmavam que a universi-

---

[156] Maiores informações podem ser obtidas nos estudos: MELO. VICTOR ANDRADE DE. *Escola Nacional de Educação Física e Desportos – uma possível história*. Campinas: Unicamp, 1996a. Dissertação (Mestrado em Educação Física); MELO. VICTOR ANDRADE DE. Escola Nacional de Educação Física e Desportos: um estudo histórico, a "história" de um estudo e o estudo da história. *In*: FERREIRA NETO, AMARÍLIO (org.). *Pesquisa Histórica na Educação Física Brasileira*. Vitória: Ed. UFES, 1996b.

[157] FARIA, ALBERTO LATORRE DE. *A profissão de professor de educação física (suas implicações culturais) – a universidade como clima adequado a formação dos professores de educação física*. Rio de Janeiro: Universidade do Brasil, 1955.

dade não era local adequado para a formação em Educação Física. Essa obra se destaca, na época, por sua preocupação com a formação em si, não procurando supervalorizar o professor de Educação Física, mas sim por levemente conclamá-lo a adotar preocupações sociais claras.

Procurando levantar as ligações entre Educação Física e Cultura e Educação Física e Ciências Sociais, um dos primeiros a fazer isso, o prof. Latorre afirma em certo momento:

> "Só o professor de Educação Física tem a componente psicológica e ideológica necessária a compreensão da sua realidade profissional e só ele possui a consciência de suas necessidades profissionais como um todo. Só ele tem o saber existencial. Só ele tem a vivência imprescindível. Só ele reúne a teoria à 'práxis'. Só ele, pois, é autêntico nos seus 'affaires'" (*ibid.*, p. 4).

Preocupado em defender a Educação Física como disciplina acadêmica que deve ser tão respeitável como qualquer outra, curiosamente a todo momento Alberto fala na profissão de "Professor de Educação Física", deixando claro no decorrer do artigo que a via como parte da Educação.

Embora possua pontos bastante polêmicos, principalmente se analisarmos com os olhos de hoje, esse artigo pode ser considerado um trabalho avançado para a ocasião. Utiliza-se de categorias e de fundamentação teórica rica e avançada para a área, embora muitas vezes conflitante em seu interior.

Na verdade, tal artigo reflete bem um determinado momento da ENEFD e da Educação Física brasileira. Veremos que, não por acaso, é também a base de seu discurso de paraninfo das turmas de 1957[158]. Tal artigo é fundamentalmente um libelo de afirmação da categoria "Professor de Educação Física", reflete tal necessidade de afirmação e de alguma forma conclama os professores a assumirem a responsabilidade por conduzir sua área de conhecimento/atuação. Embora não desconhecesse a importância das associações específicas, Alberto acredita que o sindicato da categoria deveria ser mais amplo, dos professores em geral:

> "No plano da arregimentação profissional, a classe, só agora, começa a se agrupar em associações e em seu sindicato – o de professores em geral. Adquire, assim, consciência dos seus interesses le-

---

[158] Faria, Alberto Latorre de. *A Educação Física e o momento atual da sociedade brasileira (oração de paraninfo proferida na Escola Nacional de Educação Física e Desportos).* Rio de Janeiro: Universidade do Brasil, 1958.

gítimos, passando do primitivo estágio de classe em si ao superior de classe para si (...), isto é, como a noção precisa e clara do seu status social, seus deveres, seus direitos, suas reivindicações." (p. 6).

Depois de médicos e militares dando os rumos e gozando de prestígio destacado, no interior da ENEFD os professores de Educação Física começam a se sentir incomodados pelo situação de desprestígio em uma escola diretamente a eles ligados[159].

Paralelamente a isso, o movimento estudantil começa a se organizar e a tornar suas ações cada vez mais efetivas. O passo decisivo desse crescimento se deu com a realização da Greve de 1956/1957, cujo principal intuito era retirar da direção o médico João Peregrino Júnior, que além de não estar realizando uma direção adequada, supostamente afirmara que era um vergonha dirigir uma escola de Educação Física[160].

Como essa greve ia ao encontro de alguns anseios dos professores de Educação Física, muitos desses manifestaram apreço a tal realização, mas somente Alberto Latorre de Faria deflagadamente apoiou a greve. Aí está uma das contribuições destacáveis de Alberto: o *estímulo à organização do movimento estudantil.*

Deve-se deixar claro que tal colaboração nunca significou intervenção direta, mas: apoio nas iniciativas dos estudantes (por exemplo, auxiliando na organização dos eventos estudantis e como palestrante em tais eventos); estímulo à participação no Diretório Acadêmico, no Diretório Central dos Estudantes e na União Nacional dos Estudantes; a busca de esclarecer os estudantes da sua necessidade de participação na construção dos rumos da Educação Física e da sociedade brasileira.

Tais contribuições normalmente se davam por ocasião das palestras para as quais era chamado, em seus artigos e nos seus discursos de paraninfo ou de aulas inaugurais.

> "No período universitário, o melhor treino político será a participação efetiva dos estudantes junto aos seus Diretórios Acadêmicos, e nas Federações e Uniões Estudantis, vivendo não só a problemáti-

---

159 Maiores informações podem ser obtidas nos estudos de Melo (*op. cit.*).

160 Maiores informações sobre a greve de 1956/1957 e sobre a atuação do movimento estudantil na ENEFD podem ser obtidas nos artigos: MELO. VICTOR ANDRADE DE. A greve dos estudantes de 56 e a Educação Física brasileira. *Motriz*, Rio Claro, volume 1, número 2, p. 84-91, dez./1995; MELO. VICTOR ANDRADE DE. Movimento Estudantil na Educação Física brasileira: construção, atuação e contribuições na Escola Nacional e Educação Física e Desportos. *Revista Movimento*, Porto Alegre, ano 4, número 7, p. 9-19, 1997.

ca geral do seu país e do mundo, mas especialmente, a problemática profissional futura" (FARIA, *op. cit.*, p. 6)[161].

Enfim o estímulo de Alberto foi muito importante, reconhecido não só pelos convites para eventos estudantis, com a escolha de seu nome para paraninfo, como também nas palavras dos próprios estudantes:

> "Queremos contudo salientar a figura ímpar de Alberto Latorre de Faria, (...), que com a sua nobreza de caráter e seu elevado espírito cívico, nos ofereceu durante estes anos de formação, uma visão mais completa de nossa profissão, instruindo-nos, baseando-nos com a sua vastidão de conhecimentos e com a fluência e clareza de suas ideias" (CYSNEIROS, 1960, p. 137)[162].

É importante observar que em conjunto com o estímulo às ações dos estudantes, sempre estava presente uma crítica à ENEFD e sua proposta de formação conservadora e atrasada. Pode-se ver como, logo, estavam articuladas as ideias de Alberto: a necessidade de reformular o projeto de formação profissional da ENEFD, onde também estivessem contempladas as preocupações com a mudança da ordem social; o fortalecimento do sentimento da categoria professor de Educação Física no interior da ENEFD, pois implicitamente e delicadamente Alberto deixava transparecer que um dos motivos da situação anterior seria a direção de indivíduos não-professores; o estímulo ao movimento estudantil, pois para Alberto esse seria o futuro professor e deveria estar atento a tais dimensões, além do que os estudantes eram partícipes diretos nessas críticas.

Para proceder tais críticas, Alberto fazia uso de um referencial teórico bastante diverso, mas onde paulatinamente uma determinada concepção de marxismo passou a imperar. Muitas vezes tal utilização não era das mais adequadas, ou mesmo era de forma forçada para legitimar suas constantes críticas aos aspectos militares impregnados na prática desportiva e na Educação Física em geral; às mistificações idolatras, egocêntricas e narcisistas que a impregnavam; à Educação Física isolada do contexto geral da sociedade. Com o acentuar da utilização do referencial marxista, suas preocupações ganham caráter eminentemente progressista.

Obviamente seus colegas de categoria são constantemente criticados por

---

161 FARIA, 1955, *op. cit.*

162 CYSNEIROS, JOSÉ AUGUSTO. Oração da despedida. *Arquivos da ENEFD,* Rio de Janeiro, ano 13, número 15, dez./1960.

não perceberem a necessidade de novos modelos de ensino para atenderem a perspectiva de formação de um profissional crítico e que tenha recursos para influenciar o processo de superação de uma ordem social não satisfatória. Percebe que o uso das ciências biomédicas em excesso suplanta e anula o estudo das ciências humanas, desmascarando o projeto político-ideológico que está por trás disso. Tudo permeado por uma clara percepção de uma sociedade dividida em classes.

> "Transforma, constituindo-se em exceção a sua época, seu discurso em crítica das mistificações (ideológicas), crítica do cotidiano do ensino da Educação Física, crítica das representações do que não deveria ser no meio universitário" (SILVA, 1991, p. 5)[163].

Com certeza existem muitas impropriedades na utilização do marxismo por Alberto, mas creio que, ainda assim, aí esteja outra de suas contribuições. Pela primeira vez na Educação Física brasileira, um autor tentava *utilizar declaradamente as categorias marxistas para pensar a área de conhecimento.*

Como afirma Vinícius Ruas Ferreira Silva (*ibid.*):

> "Era obrigatório na sua crítica mostrar que, nas sociedades divididas em classes, essas representações sofrem os efeitos de uma lei que polariza e as aproxima ou afasta do conteúdo de acordo com os interesses das classes, em particular quando se trata da 'vida humana', quando as representações e práxis a reduzem ao abstrato. Num contínuo desvendar dessas contradições, conscientiza várias gerações a estabelecer a dialética professor/aluno..." (p. 5).

Algumas Palavras Finais

Creio que esse artigo não necessite de uma conclusão nos moldes tradicionais, pois em seu interior já foram discutidas e apresentadas suas colaborações básicas. Contudo quero aproveitar esse momento final para ressaltar o que na verdade foram os três intuitos centrais desse trabalho.

Espero ter sido capaz de demonstrar como a vida de um determinado indivíduo pode ser importante para nos permitir compreender de forma mais

---

[163] SILVA, VINICIUS RUAS FERREIRA DA. *Defesa do pedido de concessão do título de professor emérito a Alberto Latorre de Faria.* Rio de Janeiro: Universidade Federal do Rio de Janeiro, 1991. mimeo.

múltipla nossa história. Nesse caso, o uso de fontes orais foi pronunciado, pois foram as entrevistas de Alberto que concederam os eixos centrais de análise. A utilização de fontes escritas não foi dispensada, embora a interpretação tenha sido desencadeada pelos depoimentos.

O exemplo de Alberto é somente uma possibilidade. Lembro que existem muitas outras possibilidades de estudos biográficos e utilização de fontes orais, cabendo-nos realizar tais experiências o quanto antes possível. Se somente a vida de um indivíduo nos pode conceder uma imensidade de novas reflexões, podemos imaginar quantas mais não surgiriam com a abordagem da vida de outros indivíduos.

Por fim, gostaria de reafirmar o sentido de homenagem que esse artigo tem. É o mínimo que podemos fazer para agradecer a contribuição na construção do que hoje temos, independente das posturas teóricas e visões de mundo dos homenageados.

Capítulo V

O ESPORTE NA IMPRENSA E A PUBLICIDADE ESPORTIVA NO RIO DE JANEIRO DO SÉCULO XIX[164]

Introdução

Raros são os estudos históricos brasileiros que se dedicam a discutir profunda e especificamente as peculiaridades do esporte no século XIX[165]. Tanto na Educação Física, quanto na História, no Brasil, aparentemente o esporte não tem sido priorizado como um objeto relevante para a compreensão da sociedade daquela época[166].

Partindo do pressuposto que a prática esportiva do século XIX pode ser de grande utilidade para ampliar nossa compreensão histórica, não só acerca do esporte brasileiro, como também da estrutura cultural e social daquela época, temos desenvolvido estudos cujo foco central têm sido compreender a presença e a notoriedade do esporte no cotidiano da cidade do Rio de Janeiro; sua inserção nas classes e nas categorias sociais. Esta cidade foi escolhida devido a sua posição privilegiada no período abordado, não só como sede do governo, mas também como principal entrada e centro irradiador de modas e costumes, inclusive e principalmente de origem europeia (Melo, 1996)[167].

---

164 Este estudo foi desenvolvido em conjunto com os profs. Eduardo Alexandre Dantas da Veiga e Fernanda Neves Salazar.

165 Uma discussão mais aprofundada sobre a carência de estudos históricos destinados a discutir o esporte no século XIX e os problemas que cercam o material já produzido, pode ser encontrada no estudo: Melo, Victor Andrade de. Turfe: o *sport* brasileiro do século XIX. *In*: Encontro Nacional de História do Esporte, Lazer e Educação Física, 3, Curitiba, 1995. *Coletâneas*.

166 Ver maiores informações sobre tal discussão no capítulo I desse livro.

167 Melo, Victor Andrade de. O esporte no contexto cultural do Rio de Janeiro no final do

Visando um melhor alcance de nosso intuito, organizamos uma "rede de pesquisa" sobre o assunto, que contou inicialmente com quatro pesquisadores. Estes pesquisadores tiveram a preocupação básica de analisar, em conjunto, determinadas fontes elencadas, selecionando todas as informações possíveis, não só necessárias às linhas de pesquisa em andamento, como vislumbrando futuras possibilidades de estudos.

Entre as linhas de pesquisa em desenvolvimento, uma delas teve por preocupação central estudar os primórdios da organização da imprensa esportiva no Brasil, as primeiras iniciativas de utilização do esporte como forma de propaganda e as relações que se estabeleceram entre imprensa e publicidade esportiva, já que os jornais e as revistas eram, senão exclusivamente, com certeza o melhor espaço para veiculação e divulgação dos produtos e das iniciativas. Neste artigo, objetivamos apresentar algumas reflexões sobre tais assuntos.

É importante ressaltar que basicamente compreendemos que o desenvolvimento e as relações entre imprensa e publicidade esportiva estavam diretamente ligados a um mercado que começava a surgir em torno das práticas esportivas no século XIX. Na verdade, um dos fortes indícios da constituição de um campo esportivo no Brasil[168].

Para alcance do objetivo, fizemos uso primordial de duas fontes: a) jornais e revistas da época onde o esporte era destacado como conteúdo central e/ou importante[169]; b) jornais de importância no cenário do Rio de Janeiro da época, fundamentalmente o Jornal do Brasil[170]; embora nos utilizemos de outras fontes de forma complementar. Como dicionários, documentos e estudos sobre a história da cidade do Rio de Janeiro, iconografias, entre outras.

O Jornal do Brasil foi escolhido para iniciar nosso trabalho por dois motivos básicos. Primeiro devido ao seu perfil e a sua relevância na socie-

---

século XIX. *In*: Encontro Nacional de História do Esporte, Lazer e Educação Física, 4, Belo Horizonte, 1996. *Coletâneas*.

[168] Aqui estamos adotando o conceito de campo esportivo de Pierre Bourdieu (1983). Bourdieu procura entender o esporte como um campo relativamente autônomo, com uma lógica interna específica, o que de forma alguma significa que esteja desconectado de outros aspectos, como o aspecto econômico e social. Entre os indícios de uma campo esportivo relativamente autônomo, Bourdieu aponta um mercado específico que é gerado em torno e pela prática. Maiores informações podem também ser obtidas no estudo: Clément, Jean Paul. Contributions of the Sociology of Pierre Bourdieu to the Sociology of Sport. *Sociology of Sport Journal*, v. 12, n. 2, p. 147-157, 1995.

[169] Mais a frente destinaremos um espaço exclusivo para discutir este tipo de material.

[170] Embora utilizados em menor escala que o *Jornal do Brasil*, também foi relevante a utilização de *A Gazeta de Notícias* e de *O Paiz*.

dade carioca do fim do século XIX. O Jornal do Brasil se destacava pelo seu caráter popular, que o levava a ser conhecido como "popularíssimo" ou "Jornal do povo para o povo" (EDMUNDO, 1957)[171]. Além disso, este jornal foi de grande importância por suas inovações para a imprensa da época. Inovações que iam desde o aspecto gráfico, com a utilização de máquinas de impressão de boa qualidade, grande quadro de caricaturistas que publicavam charges diárias, excelente oficina de gravura, entre outras; até o conteúdo das notícias, sempre atentas ao gosto e interesse popular. Esta sintonia com a predileção popular foi uma das grandes responsáveis por algumas tiragens e vendagens notáveis.

Sua atenção às peculiaridades que interessavam à população como um todo, de forma alguma significavam uma estrutura precária e amadora, como era usual na imprensa da ocasião. Muito pelo contrário, o Jornal do Brasil se destacou como um dos primeiros jornais brasileiros com uma estrutura altamente profissional (*ibid.*). Cabe destacar que, além de seu interessante perfil, foi considerado na escolha o fato de seus exemplares se encontrarem microfilmados na Biblioteca Nacional (Rio de Janeiro), com cópias em relativo bom estado, facilitando assim a consulta.

ESPORTE E IMPRENSA — UMA ÍNTIMA RELAÇÃO

Bem precocemente estabeleceram-se claras e contraditórias relações entre a imprensa e as práticas esportivas da época[172]. Uma relação que interessava tanto ao esporte, quanto a imprensa. Na verdade, conforme as práticas esportivas foram se desenvolvendo e ocupando espaço na sociedade e na cidade, a imprensa paulatinamente foi concedendo maior atenção a esta manifestação cultural. Uma análise de diferentes jornais, em momentos diferenciados, mostra claramente tais mudanças.

Por exemplo, a *Gazeta de Notícias*[173], por volta de meados da década de 70, não destinava espaços exclusivos para as notícias esportivas, encontradas de forma esparsa pelo jornal. As notícias esportivas, entretanto, não eram as únicas que não possuíam uma seção específica neste jornal. Todas

---

[171] EDMUNDO, LUIZ. *O Rio de Janeiro do meu tempo*. Rio de Janeiro: Conquista, 1957.

[172] Melo (1996, *op. cit.*) procura discutir as especificidades da prática esportiva do século XIX.

[173] A *Gazeta de Notícias* tinha um perfil dedicado a elite e durante muitos anos foi mantida pelo comércio dos portugueses. Devido a tal ligação e a rivalidade dos brasileiros com os portugueses, seus números eram constantemente queimados pela população em praças e vias públicas, como forma de protesto (EDMUNDO, *op. cit.*).

as notícias se encontravam misturadas, separando-se somente o folhetim, alguns artigos assinados e as notícias comerciais, além das propagandas de produtos da época, invariavelmente agrupadas ao final da edição. Aliás, neste jornal já eram encontrados anúncios de competições esportivas, principalmente de corridas de cavalos e regatas (remo)[174]. De fato, é possível perceber o aumento de notícias esportivas no decorrer dos anos e embora, dos jornais analisados, tenha sido o que menor número de informações concedeu, um curioso e importante material foi encontrado: crônicas sobre eventos esportivos publicadas na seção folhetim[175].

Destacamos aqui três dessas crônicas, entre as primeiras ligadas ao esporte a serem publicadas neste jornal. Em 6 de setembro de 1875, Jorge Odemira comenta efusivamente as regatas do dia anterior, enaltecendo esta atividade como forma interessante de diversão e cobrando investimentos governamentais para a sua continuidade (inclusive, segundo ele, uma forma de "diminuir incêndios e suicídios"). Já em 8 de setembro, L.Sennior fala sobre as corridas de cavalo de 7 de setembro, assunto utilizado pelo mesmo Jorge Odemira para seu folhetim do dia seguinte (9 de setembro). Estas crônicas merecem ser destacadas por expressar o quanto as práticas esportivas já eram significativas para a cidade. Não só podemos inferir isto pelos comentários tecidos no interior das crônicas, quando ficamos sabendo da imensa movimentação que estas atividades proporcionaram, mas também pelo relevante espaço que ocuparam na seção mais importante e lida do jornal durante três dias seguidos. Importante perceber como a imprensa e as práticas esportivas, embora ainda embrionariamente, começavam a estabelecer relações.

Já em *O Paiz*[176], por volta de 1884/1885, ainda que não se concedesse um espaço exclusivo, era possível observar em maior profusão a existência de notícias ligadas ao esporte, além de uma quantidade maior de anúncios de competições e eventos esportivos. É interessante observar que neste

---

[174] Por exemplo, em 5 de agosto de 1875 se encontra um anúncio do Club de Regatas Guanabarense, uma chamada para as regatas realizadas no dia 29 de agosto na enseada de Botafogo. Em 12 de agosto se encontra uma chamada para as corridas de cavalo no Jockey Club, realizadas em 8 de setembro.

[175] O folhetim era a seção mais lida nos jornais da época (ver maiores informações em Renault, Delso. *O dia a dia do Rio de Janeiro segundo os Jornais – 1870-1879*. Rio de Janeiro: Civilização Brasileira/MEC, 1982). Inicialmente aí se publicavam romances traduzidos do francês e do alemão. Depois, romances de autores nacionais começaram a ser publicados. Finalmente, além dos romances, crônicas sobre aspectos cotidianos da cidade di- vidiam o espaço.

[176] *O Paiz* possuía um perfil mais popular, principalmente devido a ação de Artur Azevedo, um dos maiores jornalistas em sua época (Edmundo, *op. cit.*).

momento eram notáveis não mais somente as propagandas de competições esportivas, como também as primeiras propagandas de produtos esportivos[177]. É de se destacar que, anos mais tarde, em meados da década de 90, este jornal criaria a primeira coluna específica para o desporto náutico em um jornal brasileiro.

Já no *Jornal do Brasil* um grande avanço foi a criação de uma seção específica para as notícias esportivas (coluna *sport*) desde sua fundação[178]. Obviamente a esta altura a imprensa em geral estava mais desenvolvida. Não que estivesse próxima do que é hoje ou mesmo do que era na Europa, mas nítidas mudanças eram notadas. Além do aspecto formal (as manchetes eram mais trabalhadas e percebiam-se preocupações com criação de seções e subtítulos chamativos e atraentes), as notícias começaram a ser mais elaboradas e novas preocupações, como as preocupações sociais, começaram a vagarosamente fazer parte dos jornais.

A seção *sport* começou bastante tímida, com espaço bem reduzido e não publicada diariamente. Logo tal espaço torna-se crescente, principalmente nos dias seguintes aos eventos esportivos. Já no final de 1893 uma nova seção era criada: *Avisos sportivos*. Esta sessão ficava responsável pelas notícias ligadas às apostas, importante fator no desenvolvimento do movimento esportivo no Brasil, a despeito dos problemas ocasionados (Melo, *op. cit.*)[179]; enquanto na seção *sport* se encontravam as notícias sobre o cotidiano dos clubes e das práticas esportivas. No ano seguinte (1895), mais uma seção era criada (*vida sportiva*), além de muitas notícias esportivas ocuparem a primeira página, a mais importante do jornal. É flagrante como rapidamente as notícias esportivas foram ganhando espaço neste jornal.

Mais do que conceder um local próprio para as notícias esportivas, é possível observar uma nova dinâmica, onde não eram mais somente anunciados os resultados e divulgadas as competições. Os aspectos "sociais" eram ressaltados, as fofocas contadas, os "tribofes"[180] esmiuçados. É bem verdade que neste momento (final do século XIX), o esporte, principalmente o turfe, já era uma moda na cidade e movimentava paixões e multidões (*ibid.*).

Dedicando grande atenção ao turfe, o Jornal do Brasil era um centro de referência para os leitores e para os "especialistas"[181], além de ser um órgão

---

[177] Por exemplo, produtos para corridas de cavalos.

[178] O primeiro número do Jornal do Brasil circulou em 9 de abril de 1891.

[179] Melo, 1995, *op. cit.*

[180] "Tribofe" era a denominação dada às confusões ocasionadas por burlas nos resultados, constantes em muitos momentos, principalmente quando as apostas passaram a ser de grande importância. Houve inclusive casos de instalações destruídas pela fúria do público.

[181] Além de jóqueis, treinadores etc., Edmundo (*op. cit.*) comenta que na época já era possí-

de cobrança por melhorias, seja do governo, seja dos clubes[182]. Inova por constantemente trazer notícias "turfísticas" de outros estados e mesmo internacionais[183]. Suas crônicas são destacáveis, sendo um rico material para nos permitir compreender o esporte brasileiro na época. Muitas foram as crônicas dedicadas às peculiaridades da prática esportiva da época, escritas inclusive por ilustres intelectuais, como José da Silva Paranhos[184] e Machado de Assis.

As crônicas de Machado de Assis têm sido bastante utilizadas como relevante fonte para a compreensão do cotidiano e do contexto cultural do Rio de Janeiro[185]. Sendo assim, suas crônicas dedicadas ao esporte podem ser de grande valia para nosso intuito e futuramente pretendemos utilizá-las em nossos estudos. Podemos adiantar que Assis tem crônicas dedicadas não só ao turfe e as regatas, como também ao boxe, touradas, *skating-rink* (ringue de patinação), corridas de bicicletas, além de assuntos correlatos como banhos de mar e capoeira[186].

Enfim, na virada do século XIX o esporte já ocupava considerável espaço, progressivamente crescente, na imprensa do Rio de Janeiro. Provavelmente também porque este espaço era ocupado na sociedade como um todo. Não se pode negar que os jornais e revistas foram de grande importância para o desenvolvimento do esporte. Era nos jornais que as primeiras associações esportivas efetivamente divulgavam suas competições, seja nas notícias no interior do jornal e/ou pagando anúncios[187].

---

vel identificar um indivíduo, chamado de "catedrático", que "... *se tem como um técnico formidável em assuntos de corridas. (...) se não está pensando está lendo tudo o que sobre a próxima corrida divulgam as gazetas da cidade. (...) O catedrático, porém, (...) conhecendo tudo, (...) quando joga – é aquela fatalidade: – perde sempre*!" (p. 846).

[182] Em 21 de abril de 1891, por exemplo, o jornal foi procurado por pessoas se queixando que foram roubadas em suas apostas. Nesta ocasião o Jornal cobra ação, da polícia o dos clubes, para inibir este tipo de problema.

[183] Principalmente de Paris, Londres e Buenos Aires.

[184] Cássio Costa (1961) afirma que Paranhos esteve entre os primeiros cronistas a dedicarem espaço ao esporte. Apresenta inclusive uma interessante crônica de 14 de junho de 1851, publicada no Jornal do Comércio. Ver maiores informações em: Costa, Cássio. *O turfe de outrora*. Rio de Janeiro: Vida Turfista, 1961.

[185] Sugerimos aos que querem se aprofundar sobre esta possibilidade, a leitura do prefácio de Dirce Cortes Riedel à obra: Táti, Miécio. *O mundo de Machado de Assis*. Rio de Janeiro: Secretaria Municipal de Cultura, Turismo e Esporte, 1991.

[186] Mais a frente, neste texto, será possível compreender porque Assis comentava tais práticas como esportivas.

[187] Encontramos anúncios de turfe, regatas, corridas a pé, jogos de pelotas, corridas de bicicleta, entre outros.

A princípio, os anúncios eram extremamente confusos, com muitos termos em inglês, fazendo uso de uma nomenclatura específica[188] que não era de domínio da população, ainda ignorante acerca das especificidades das manifestações esportivas. O primeiro anúncio de corrida de cavalos, publicado em outubro de 1849 em vários jornais da cidade, era tão incompleto que vários leitores escreveram aos jornais pedindo complemento das informações, dizendo não entender o anúncio e lembrando, entre outras coisas, que não fora informado o local e o horário do evento (Costa, *op. cit.*)[189]. Com o tempo, no entanto, os clubes e associações foram aperfeiçoando e tornando atraentes seus anúncios.

O jornal tinha grande importância por ser a única forma de comunicação que atingia as massas. Embora grande parte da população não soubesse ler, sempre se encontrava uma forma de ter acesso às notícias dos jornais. Por exemplo, era comum pagar para alguém ler o jornal. Ou, para aqueles que não podiam pagar, solicitar que algum conhecido alfabetizado fizesse a leitura, normalmente em uma roda para várias pessoas atentas às notícias da cidade, inclusive às esportivas. Assim, os jornais foram responsáveis, em grande parte, por levar a população às competições, fundamental para que os clubes obtivessem o retorno financeiro necessário a sua manutenção[190].

Logo, além de propagandas de competições esportivas e de produtos esportivos, surgiram as propagandas que faziam uso de motivos esportivos. Eram comuns, por exemplo, os anúncios do "Vinho Tetra Phosphatado de Granado" ("o melhor e mais efficaz reconstituinte para os anêmicos, debilitados e convalescentes") onde se via a figura de uma mulher montada em um cavalo, conversando com um homem e tendo ao fundo uma pista de corridas. Outro exemplo, são os anúncios do "Elixir Noz de Kola de Granado", onde se via um casal entrando em um barco, tendo ao fundo um mergulhador em um trampolim. Muitos tônicos e extratos de fortificação utilizavam constantemente figuras direta ou indiretamente associadas às práticas esportivas da época como forma de vincular seu produto a uma imagem de saúde, beleza e excelência.

De fato, havia um mercado em construção em torno das práticas esportivas e os jornais lucravam duplamente com isto. Lucravam com a venda de espaço para as propagandas em suas páginas, como também com a venda-

[188] Durante muitos anos a grande maioria dos termos utilizados era de origem inglesa.

[189] Costa, 1961, *op. cit.*

[190] Melo (1996, *op. cit.*) mostra que o esporte no Brasil sempre teve uma destacável dimensão enquanto espetáculo e que a afluência aos eventos esportivos se dava por indivíduos de classes e categorias sociais diferenciadas, embora isto não signifique que esta participação possa ser compreendida de forma homogênea.

gem de jornais, pois o esporte era um assunto de interesse, mobilizando a atenção e expectativa da população. Desta forma, podemos perceber que se a imprensa foi importante para o desenvolvimento do esporte, o esporte também deu sua grande contribuição para a imprensa, sendo até hoje um assunto privilegiado nos jornais e/ou objeto central de periódicos específicos.

Uma Imprensa "Sportiva" Específica

Com um mercado tão propício em desenvolvimento, não demorou para que surgissem os primeiros jornais e revistas específicas. É possível distinguir dois tipos de publicação específica. Em um, o esporte não era o único conteúdo, mas era destacado como conteúdo central ou importante. Por exemplo, "O Binóculo: folha litterária, sportiva e theatral" (1894) e "A Arena: jornal sportivo, litterário, humorístico e noticioso" (1897). Em outro tipo de publicação, o esporte era o conteúdo exclusivo, sendo a grande maioria dedicada ao turfe (como "O Turf", de 1889). Mas também existiam as dedicadas a outros esportes (como "O Remo", de 1900; e "O Cyclismo", de 1900).

Interessante observar que alguns títulos utilizavam genericamente o termo *sport,* contudo eram completamente (ou quase) dedicados ao turfe. Por exemplo, "Revista Sportiva" (1894), "O Sportsman" (1887) e "O Sport" (1887). Alguns paulatinamente começaram a abrir espaços para outros esportes, como "Semana Sportiva" (1899). Esta série de periódicos, mesmo que alguns não tenham passado de poucos números, é um outro indício da relevância do esporte para a sociedade da época, principalmente do turfe, provavelmente muitas vezes confundido com o próprio conceito de *sport,* processo que hodiernamente assistimos com o futebol (Melo, *op. cit.*)[191].

Sport e Imprensa: O Que Era Noticiado?

Pensamos ser interessante comentar um pouco acerca das peculiaridades do esporte no século passado, material que temos encontrado em nossas análises. Resumidamente podemos especificar que as informações podem ser divididas em três grupos[192]:

---

[191] Melo, 1995, *op. cit.*

[192] Maiores informações podem ser obtidas nos estudos de Melo (1995, 1996).

a) manifestações esportivas bastante desenvolvidas e organizadas, bem próximas de um campo esportivo realmente constituído. Há de se destacar a quantidade (e a qualidade) de informações ligadas ao turfe e as regatas. Estes esportes se destacavam por sua penetração social, por sua organização e por servirem de modelo a outras práticas esportivas. Como tinham destaque, ocupavam maior espaço na imprensa.

b) manifestações esportivas hoje existentes e que na época davam seus primeiros passos. O ciclismo vivia seus momentos iniciais, ainda utilizando os velocípedes (antepassados da bicicleta moderna). O atletismo, conhecido na época por corrida atlética ou corrida a pé, também começava suas atividades, com um programa extremamente curioso onde até corridas de perna-de-pau tinham espaço. Ambas atividades utilizavam os modelos das corridas de cavalo (organizadas por páreos, com nomes específicos, prêmios e apostas), além de muitas vezes fazerem uso das próprias "instalações turfísticas". A natação dava seus primeiros passos, enquanto o futebol, pelo menos no Rio de Janeiro, era um grande desconhecido.

c) manifestações que na época foram chamadas de *sport*, mas que em momento nenhum chegaram a constituir um campo esportivo, muitas até mesmo sendo consideradas hoje como inconcebíveis, ou não exponenciaram e não se tornaram populares. Na verdade, o *sport*, no Brasil, é uma aquisição cultural importada da Europa, fundamentalmente da Inglaterra. E aparentemente aqui o termo *sport* chegou antes da constituição efetiva de um campo esportivo. Assim, touradas, bilhar, banhos de mar, boliche, brigas de galo, jogo do bicho, corridas de pombo-correio, entre outras, eram práticas encontráveis na seção de notícias esportivas. Algumas impropriedades conceituais claras já na época eram também perceptíveis, como considerar a ginástica enquanto uma prática esportiva. No fundo, frequentemente era o caráter de espetáculo da prática que acabava por determinar o que era, ou não, esporte.

Conclusão

As relações entre esporte e imprensa são observáveis há bastante tempo, datando dos primórdios da constituição do campo esportivo no Brasil. Essa relação sempre se constituiu de forma ambígua e necessária para ambos. Embora fundamental para os clubes e para o desenvolvimento esportivo, nem sempre o enfoque da imprensa era satisfatório, uma vez que grande parte das vezes os jornalistas estavam mais interessados nas fofocas e "tribofes" do que nos resultados em si. A ênfase nas polêmicas e nos escândalos nem sempre agradava aos clubes. Estes, entretanto, sabiam que necessitavam do apoio da imprensa para o alcance de seus objetivos, já que através dela é que grande parte do público comparecia e sua manutenção se tornava possível.

Basta ver que na década de 90, os quatro hipódromos mais importantes do Rio de Janeiro destinavam um lugar especial na arquibancada para "os companheiros da imprensa" (E.P., 1893)[193]. Normalmente um lugar de onde se tinha a melhor visão da corrida, quando não cercado de mordomias. Somente as autoridades governamentais e convidados especiais tinham privilégio semelhante[194]. Sem falar nas inúmeras homenagens à imprensa, como os "Grandes Prêmios da Imprensa"[195] e as saudações constantes nos hipódromos[196].

A imprensa de outra forma percebia que sua participação era interessante e necessária, por estimular a venda, trazendo leitores ávidos pelas informações de um assunto atraente; e devido a entrada de recursos financeiros em forma de propaganda dos próprios clubes e de produtos ligados, diretamente ou indiretamente, ao esporte. Logo uma imprensa esportiva específica surgiria, mesmo que muitas vezes amadoristicamente.

Por fim, é importante reconhecer que, já na ocasião, inúmeras vezes a imprensa diretamente influía nas organizações esportivas, sugerindo modificações, promovendo eventos e criando modismos e peculiaridades ao redor do esporte. Por exemplo, é claramente perceptível uma "linguagem esportiva" estimulada e criada pelos jornais. Algumas vezes reprodução de termos ingleses (como *starter, entrainer e sportsman*[197]). Mas outras, legítimas criações nacionais (como o termo "bacamarte", utilizado para designar um cavalo ruim). Influências que contemporaneamente continuam a ser perfeitamente observáveis com grande frequência e intensidade.

---

[193] E.P. *Crônicas do turf fluminense*. Rio de Janeiro: [s.n.], 1893.

[194] Normalmente a arquibancada era dividida em quatro: uma parte para o público em geral; uma parte para os sócios; uma parte para as autoridades e convidados especiais, onde os sócios tinham relativo trânsito; uma parte para a imprensa.

[195] Uma destas homenagens pode ser observada em 01 de janeiro de 1895. Naquela ocasião, o Turf Club (um dos clubes de corrida da cidade) dedicou suas atividades à Imprensa. O Jornal do Brasil do dia seguinte (02 de janeiro) nem mesmo se preocupa em proceder qualquer agradecimento. Sua seção *sport* é completamente dedicada a comentar as brigas que ocorreram entre os jóqueis, seguidas de brigas do público, invasão às pistas de corridas, tiros e toda espécie de confusão, inclusive forte ação policial para conter a população enfurecida. Nenhuma linha sequer é dedicada à outro comentário.

[196] Por exemplo, na corrida realizada pelo Turf Club no dia 20 de janeiro de 1893, o sr. F. Calmon (membro da diretoria) fez questão de publicamente saudar a Imprensa, sendo "... *correspondido pelo nosso colega da Gazeta de Notícias*" (JORNAL DO BRASIL, p. 2, 1893).

[197] *Starter* era o árbitro de largada, *entrainer* era o treinador de cavalos e jóqueis; e *sportsman* eram os que, de alguma forma, se envolviam com atividades esportivas.

Apêndice

A INTERNET COMO RECURSO AUXILIAR AO PESQUISADOR NA ÁREA DE HISTÓRIA DA EDUCAÇÃO FÍSICA E DO ESPORTE: EXPERIÊNCIAS NACIONAIS E INTERNACIONAIS[198]

Introdução

Já há algum tempo realidade no cenário internacional, somente nos últimos anos a internet passou a ocupar de forma mais significativa o cotidiano dos brasileiros. Embora com alguns percalços, devido a dificuldades como a demora para a regulamentação do oferecimento dos serviços e a péssima qualidade de nossas linhas telefônicas, não há como negar que nos últimos três anos tem crescido pronunciadamente o uso e o conhecimento dos recursos da grande rede. Antes meras palavras estranhas, nos dias de hoje grande parte da população pelo menos já deve ter ouvido falar em *web*, *e-mail* e outros termos peculiares. Existe efetivamente até mesmo um mercado em torno e no interior da internet, com o surgimento de revistas, livros, estratégias de *marketing* e vendas através da rede, entre outras.

Entre os pesquisadores não parece ser diferente. As universidades têm procurado se equipar para oferecer as condições de acesso necessárias (ou possíveis), muitas listas de discussão têm surgido, o número de *home-pages* têm crescido exponencialmente, as iniciativas ligadas à rede têm despontado e diversos têm sido os debates acerca da necessidade, das possibilidades e das peculiaridades de seu uso, de tal forma que as manifestações de desconfiança, muito comuns no início, foram substituídas por um leve sentimento de confiança. Há mesmo uma tendência à aceitação mais efetiva da importância desses recursos para o trabalho do pesquisador/professor.

---

[198] Gostaria de agradecer ao prof. Laércio Elias Pereira não só pela leitura prévia e sugestões a esse artigo, mas também pela possibilidade de ter nos últimos anos trabalhado com os recursos que a internet oferece.

Obviamente, nesse processo nem tudo foi perfeito e adequado. O crescimento assombroso trouxe também injunções que longe de auxiliarem o pesquisador/professor, o atrapalham e o incomodam. A enorme quantidade de informação disponível muitas vezes leva o pesquisador a perder horas com um aproveitamento mínimo. A característica não-censurável da rede, junto com sua potencialidade de rápida divulgação, também permitiu o aparecimento de manifestações de preconceito e/ou informações com um grau de aprofundamento mínimo, insuficiente e determinadas vezes até mesmo pernicioso para alguém que procura apurar seus conhecimentos. Aumenta, logo, a desconfiança sobre a real importância da grande rede. Seria a Internet mais uma panaceia, destinada a troca de trivialidades (de forma mais rápida que o correio tradicional, é bem verdade.)?

Dentro desse contexto, iniciativas começam a ser encaminhadas para minimizar tais problemas, potencializando as possibilidades tão propagadas. De maneira geral, a rede fragmenta-se, divide-se em grupos de perfil mais homogêneo, procurando agrupar melhor interessados em determinado assunto, muitas vezes até mesmo com restrições quanto a propagação das mensagens.

Longe de enaltecer de forma apaixonada ou de condenar com intolerância, este estudo pretende apresentar algumas recentes experiências nacionais e internacionais na utilização de possibilidades oferecidas pela internet no âmbito da História da Educação Física e do Esporte, partindo da premissa que tais recursos podem ser uma importante ferramenta auxiliar de pesquisa e principalmente de estabelecimento de redes de intercâmbio.

Logo, este trabalho pretende ser informativo, já que apresenta concretamente endereços e indicações de utilização; mas também convoca todos a tomarem parte e a auxiliarem nesse processo de aperfeiçoamento das iniciativas já em curso.

Internet e o estudo da História da Educação Física e do Esporte no Brasil: Primeiras Preocupações

No Brasil, as primeiras iniciativas de utilização da internet para o estudo e divulgação da História da Educação Física e do Esporte surgiram no âmbito do Grupo de Estudo de História da Educação Física, do Esporte e do Lazer (GEHEFEL), da Faculdade de Educação Física da Universidade Estadual de Campinas (FEF-Unicamp), conduzidas por Guanis de Barros Vilela Júnior.

Vilela Júnior apresentou suas preocupações e propostas em artigo publicado na coletânea do III Encontro Nacional de História do Esporte, Lazer e

Educação Física, realizado em 1995, na Universidade Federal do Paraná[199]. Naquele artigo, o autor começa apresentando um pouco da história, dos conceitos e do jargão técnico da internet, reservando os parágrafos final para importantes observações.

Ao perceber que os recursos da internet eram ainda bastante desconhecidos e/ou sub-utilizados pelos pesquisadores na área, Vilela Júnior propõe um esforço coletivo no sentido de garantir maior presença e a acessabilidade do GEHEFEL:

> "Entendemos que nossos esforços devam se concentrar na elaboração de uma home-page (tela gráfica para navegação por hipermídia), através da qual possa ser acessada a produção acadêmica do GEHEFEL, sejam artigos, teses, além de um banco de dados bibliográficos. Como já vimos anteriormente, esta tela gráfica de fácil navegação é possível com a utilização do WWW" (*ibid.*, p. 332).

Assim foram dados os primeiros passos. A *home-page* do GEHEFEL foi construída e até hoje está disponível, embora não tenha avançado muito na disponibilização de informações.

O Centro Esportivo Virtual e a "Efesport-l"

Partindo da mesma compreensão – a necessidade de convocar os pesquisadores na área de Educação Física/Ciências do Esporte a conhecerem e a utilizarem a internet – Laércio Elias Pereira, que desde a década de 80 vem se envolvendo com o estudo do uso de novas tecnologias/informática para a Educação Física, criou, em julho de 1996, o Centro Esportivo Virtual (CEV). O CEV é um sítio construído de forma cooperativa que pretende aglutinar o maior número possível de informações sobre a Educação Física/ Esporte, entendidas em sua mais diversas perspectivas (estudo, pesquisa, curiosidades, competições etc.). Na página do CEV, disponível em <http:// www.cev.org.br>, é possível encontrar desde calendários de congressos, dissertações e teses na área, ligações com outras instituições de ensino e pesquisa da Educação Física/Ciências do Esporte, lista de revistas da área até endereços de Federações/Confederações esportivas.

---

199 VILELA JÚNIOR, Guanis de Barros. A Educação Física na internet: uma proposta. *In*: Encontro Nacional de História do Esporte, Lazer e Educação Física, 3, Curitiba, 1995. *Coletânea*. p. 329-332.

No mesmo ano, Pereira criou a "Efesport-l", uma lista de discussão[200] para os pesquisadores da área. A pequena iniciativa tomou vulto e hoje (março de 1998) já congrega mais de 280 assinantes das mais distintas áreas de formação[201]. Cremos que esta lista de discussão foi de grande importância para a popularização da internet em nossa área, devido às suas características de interatividade e intercâmbio maior (agilidade na troca de informações e contatos) e até mesmo à sua possibilidade facilitada de uso, pois para acessar às páginas W3 se faz necessário uma aparelhagem mais sofisticada, enquanto para o uso do correio eletrônico um computador simples já é suficiente.

A partir dessa experiência vitoriosa, com o crescimento do número de participantes e a diversificação dos interesses, já em 1997 foram criadas listas específicas de discussão. Uma das primeiras listas específicas a serem criadas, na estrutura do CEV-Efesport, foi a "Cevhist-l": a lista de discussão de História da Educação Física e Esporte. Provavelmente tal lista esteve entre as primeiras a serem criadas na medida que as informações sobre o assunto já estavam sendo divulgadas periodicamente na lista "Efesport-l". De alguma forma a lista "Cevhist-l" surgiu de um movimento no interior da "Efesport-l".

A "Cevhist-l"

A "Cevhist-l"[202] começou suas atividades no dia 5 de fevereiro de 1997. Em junho de 1998 possuía mais de 100 assinantes, de 9 países diferentes (Alemanha, Brasil, Argentina, Espanha, Estados Unidos, França, Itália, Portugal e Suíça). Desde sua criação já foram trocadas mais de 800 mensagens.

Nesse período de funcionamento já foi possível perceber uma significativa mudança na característica da lista de discussão. Tais mudanças têm sido observadas em várias outras listas, brasileiras e internacionais, de tal ordem

[200] Listas de discussões são ferramentas que aglutinam pesquisadores/interessados em um mesmo assunto. Com a utilização de um programa próprio, cada vez que uma mensagem é enviada para o endereço da lista, todos os outros assinantes (indivíduo que se cadastrou na lista) recebem a mensagem. Dessa forma o trâmite de informações é maior. A lista é organizada por um administrador, um *gate-keeper*, que normalmente tem uma ligação anterior com o assunto e pode melhor distribuir e incentivar as discussões e divulgações.

[201] Para assinar a "Efesport-l", basta enviar uma mensagem <subscribe efesport-l seu nome> para o seguinte endereço: <listserv@obelix.unicamp.br>.

[202] Para assinar a "Cevhist-l", basta enviar uma mensagem <subscribe cevhist-l seu nome> para o seguinte endereço: listserv@server.nib.unicamp.br. Qualquer dúvida e/ou informação, contactar Victor Melo (victor@marlin.com.br).

que até se começa a falar não mais em listas de discussão, mas em listas de divulgação e/ou listas de interesse.

A "Cevhist-l" sentiu tal mudança claramente. De fato, a divulgação sempre ocupou espaço significativo na lista. Desde seus momentos iniciais já foram divulgados congressos e eventos científicos em todo o mundo, seções específicas de história nos congressos nacionais gerais, índices de todas as revistas do assunto publicadas no mundo, associações científicas específicas nacionais e internacionais, artigos específicos publicados em revistas gerais, novos livros sobre a temática, informações sobre centros de documentação e museus, entre outras.

No princípio, contudo, além da divulgação houve uma rica discussão sobre os aspectos epistemológicos e metodológicos da História da Educação Física e do Esporte Algumas perguntas centrais foram: seria correto falar em História da Educação Física e do Esporte? Existiria uma História da Educação Física e do Esporte? E como devemos estudar/pesquisar tal assunto? A presença de pesquisadores de diferentes áreas originais de formação (historiadores de formação, professores de Educação Física, pedagogos, geógrafos etc.), bem como de diferentes nacionalidades, foi bastante interessante para tornar mais múltiplas tais discussões.

Mas uma lista de discussão pode funcionar para além disso. Mais do que permitir o trâmite de informações (uma importante função em um mundo globalizado e com tamanha quantidade de conhecimento sendo produzida) e discussões específicas sobre o assunto, ela permite o encontro de pares que de outra forma muito mais dificilmente se encontrariam. Na lista, os pesquisadores podem trocar seus interesses e manifestar suas necessidades, não sendo incomum a ajuda no interesse mútuo. Em nossa lista não foram poucos os exemplos nesse sentido. Temos, por exemplo, a possibilidade de contar com importantes figuras da História da Educação Física e do Esporte na Europa, o que tem nos facilitado o conhecimento e a participação nas iniciativas daquele continente.

Ainda mais, a "Cevhist-l" pretende marcar mais diretamente suas discussões e contribuições. Assim, algumas iniciativas têm sido encaminhadas. Uma delas é a criação de um sítio de História da Educação Física e do Esporte, dentro da estrutura do CEV, ligado ao sítio do GEHEFEL e aos mais importantes sítios do assunto no mundo. Nesse sítio pretendemos agrupar o maior número de informações possíveis sobre o assunto: outras listas de discussão, informações sobre congressos específicos ou com seções próprias; livros, dissertações/teses, artigos publicados em revistas e anais; projetos de pesquisa; programas das disciplinas; perfil dos pesquisadores, *softwares* que possam colaborar com o trabalho de pesquisa e tudo mais que for possível e interessante. O sítio está em construção e em breve estará no ar.

Outras iniciativas foram a construção de uma bibliografia brasileira de História da Educação Física e do Esporte, recentemente concretizada pelos professores Victor Andrade de Melo e Patrícia Genovez[203], e futuramente a confecção de um catálogo dos pesquisadores na área no Brasil. Com essas duas iniciativas espera-se facilitar o trabalho dos interessados no assunto.

A lista pretendia também editar duas publicações eletrônicas. Uma delas já está em andamento, sendo na verdade uma pequena iniciativa de autodivulgação da lista. O "Balanço Mensal da Cevhist-l" divulga o andamento dos trabalhos, o estágio das principais ações, os congressos e revistas nacionais. É somente distribuída, via eletrônica, aos assinantes da lista, aos assinantes da "Efesport-l" e aos assinantes da lista argentina de discussão sobre Educação Física e do Esporte.

A outra iniciativa é mais ousada e de difícil execução. Uma das vantagens da internet é permitir a publicação eletrônica, sem o uso do papel. De nenhuma maneira essa iniciativa substituirá o "bom e velho papel", mas pode ser uma alternativa viável para a falta de verbas na hora da edição. Além disso, facilita a divulgação internacional dos trabalhos.

Logo, a lista tem o projeto de futuramente editar um caderno anual sobre o assunto, sempre dedicando espaço para a discussão privilegiada de uma temática. Além de aberto a colaborações, serão convidados pesquisadores para escrever sobre tal temática. Toda a montagem do caderno (a ideia inicial foi de uma revista, substituída nesse momento devido às dificuldades) já foi discutida pelos membros da "Cevhist-l", desde o título da publicação, passando pelas normas, até a sugestão de nomes para o Conselho Editorial e convidados para escrever no primeiro número. Esse caderno seria distribuído por disquete e viabilizado no sítio de História do CEV. Esperamos em breve retomar essa ideia.

Enfim, cabe entender que uma lista é uma construção coletiva e a contribuição de todos os assinantes têm garantido um caminhar paulatino e seguro.

Internet e História da Educação Física e do Esporte no Mundo

Internacionalmente existem também iniciativas de utilização dos recur-

---

[203] A bibliografia contém mais de 700 referências sobre o assunto. Pode ser encontrada em arquivo word ou em banco de dados. Os interessados podem contactar Victor Melo (victor@marlin.com.br) e/ou Patrícia Genovez (genovez@powerline.com.br). Também pode ser encontrada no *site* da revista digital Lecturas: Educacion Fisica y deportes (http://www. http://www.sirc.ca/revista).

sos da internet para o estudo e a dinamização de informações sobre a História da Educação Física e do Esporte. Curioso observar que as iniciativas internacionais enfrentam os mesmos problemas e mudanças de sentido que as nacionais, estando entretanto mais avançadas, até mesmo porque existem a mais tempo.

No que se refere às listas de discussão, destaca-se a "Sporthist", que é a lista de discussão internacional de História da Educação Física e do Esporte[204], com a chancelaria da *International Society of History of Physical Education and Sport* (ISHPES). São cerca de 300 pesquisadores/interessados reunidos. As mensagens de maior interesse para os pesquisadores brasileiros são distribuídas na "Cevhist-l". Além dessa, podemos destacar a lista espanhola, a lista australiana e a lista britânica de História da Educação Física e do Esporte, não tão ativas quanto a anterior.

Já no que se refere às *home-page*, podemos encontrar a da *North American Society of Sport History* (NASSH)[205] e a da *British Society of Sport History* (BSSH)[206], que parece ser a principal página sobre o assunto.

Esse fantástico trabalho, organizado e conduzido pelo Dr. Richard Cox, oferece grande diversidade para os pesquisadores da área. Lá é possível encontrar informações sobre a BSSH, índices de revistas específicas, anais de congressos, bibliografias, recentes publicações, lista de *web*, diretório de historiadores do esporte, lista de museus do esporte e exposições, lista de bibliotecas, dados diversos, ligações com editoras e com sociedades científicas, entre outras. Através de contato com o prof. Cox, já temos inclusive os títulos dos trabalhos apresentados nos três primeiros Encontros Nacionais, traduzidos para o inglês, disponibilizados nessa *home-page*.

De fato, o prof. Cox tem escrito bastante acerca das possibilidades da internet e do computador para os pesquisadores de história da Educação Física e do Esporte. Por exemplo, publicou artigo recente no *International Journal of History of Sport* sobre o uso de computadores e bancos de dados como auxiliares para o levantamento de fontes[207]. Cabe lembrar que já temos no Brasil trabalhos semelhantes, embora ainda parciais, com o levantamento de fontes ligadas à Educação Física e ao Esporte[208]. Esse trabalho

---

[204] Para assinar essa lista basta enviar uma mensagem <sub sporthist seu nome> para o seguinte endereço: listserv@pdomain.uwindsor.ca

[205] Essa *home-page* pode ser encontrada em <http://nassh.uwo.ca>.

[206] Essa *home-page* pode ser encontrada em <http://info.mcc.ac.uk/UMIST_Sport>

[207] Cox, Richard Willian. PC-based bibliographic databases for the sports historian: a review essay. *International Journal of History of Sport*, Londres, v. 13, n. 2, p. 215-219, agosto/1996.

[208] Ver maiores informações no capítulo II desse livro.

será disponibilizado em *download* logo que o sítio de História estiver em funcionamento.

O professor publicou também, em 1995, o livro *The internet as a resource for the sports historians*[209]. Embora tenha recebido críticas de Suzanne Wise (1997)[210], principalmente devido ao enfoque excessivo no interesse específico dos historiadores britânicos e problemas de desatualização/má impressão que podem causar confusões, penso que não há como negar a importância da iniciativa. Com as ações da "Cevhist-l" pensamos estar caminhando em sentido aproximado.

Algumas Palavras Finais

Enfim, paulatinamente a internet vai se apresentando e sendo considerada como uma ferramenta interessante para o trabalho do pesquisador na área de História da Educação Física e do Esporte. Já não mais encontramos a mesma situação descrita por Vilela Júnior (*op. cit.*) anteriormente, contudo ainda estamos longe do que desejamos.

Precisamos construir uma "cultura de uso da internet", de forma que os pesquisadores não somente saibam como utilizar os recursos, como também o façam de forma ativa e crítica. Para os que querem assinar agora, temos também mecanismos para oferecer um panorama e resumo do que já se passou. No caso da "Cevhist-l", isto pode ser quase plenamente encontrado, pois grande parte das mensagens está cadastrada em uma *home-page* própria para tal (reference.com), sem falar na recente iniciativa do CEV de recuperar as antigas mensagens[211]. Em breve todas as mensagens já trocadas pela "Cevhist-l" poderão ser recuperadas. Além disso, os "Balanços Mensais" oferecem uma boa visão sobre o assunto.

Desafios e sonhos. Somente o futuro poderá nos mostrar definitivamente se esse mecanismo é, ou não, útil; se é ou não uma perda de tempo para o pesquisador. No momento, apostamos nossas fichas nas boas possibilidades que se apresentam, reforçamos nossa vontade/necessidade de trabalhar muito e convidamos todos a participarem nessa construção[212].

---

[209] Cox, Richard Willian. *The internet as a resource for the sports historians*. Londres: British Society of History of Sport, 1995.

[210] Wise, Suzzane. Book Review. *International Journal of History of Sport*, Londres, v.14, n. 1, p. 225-226, abril/1997.

[211] Para maiores informações, ver em <http://www.cev.org.br/cgi-bin/lwgate>.

[212] Quaisquer informações, dúvidas e/ou solicitações podem ser feitas pelo endereço eletrônico victor@marlin.com.br (Victor A. Melo).

Biblioteca "CIÊNCIA"

Volumes publicados:

Biblioteca "SAÚDE"

Volumes publicados:

1.	*Controle Sua Pressão*	W. A. Brams
2.	*Vença o Enfarte*	W. A. Brams
3.	*Glândulas, Saúde e Felicidade*	W. H. Orr
4.	*Cirurgia ao Seu Alcance*	R. E. Rotenberg
5.	*Ajude Seu Coração*	Vários autores
6.	*Saúde e Vida Longa Pela Boa Alimentação*	Lester Morrison
7.	*Guia Médico do Lar*	Morris Fishbein
8.	*Vida Nova Para os Velhos*	Heins Wolterek
9.	*Coma Bem e Viva Melhor*	Ancel & Margaret Keys
10.	*O Que a Mulher Deve Saber*	H. Imerman
11.	*Parto Sem Dor*	Pierre Velay
12.	*Reumatismo e Artrite*	John H. Bland
13.	*Vença a Alergia*	Harry Swartz
14.	*Manual de Primeiros Socorros*	Joel Hartley
15.	*Cultive Seu Cérebro*	Robert Tocquet
16.	*Milagres da Novocaína*	Henry Marx
17.	*A Saúde do Bebê Antes do Parto*	Ashley Montagu
18.	*Derrame – Tratamento e Prevenção*	Marta T. Sarno
19.	*Viva Bem Com a Coluna que Você Tem*	José Knoplich
20.	*Vença a Incapacidade Física*	Howard A. Rusk
21.	*O Bebê Perfeito*	V. Apgar & J. Beck
22.	*Acabe Com a Dor*	Roger Dalet
23.	*Causas Sociais da Doença*	Richard Totman
24.	*Alimentação Natural*	Vários autores
25.	*Dor de Cabeça – Sua Origem e Cura*	C. Loisy & S. Pélage
26.	*O Tao da Medicina*	Stephen Fielder
27.	*Chi-Kong / Os Exercícios Chineses de Saúde*	G. Edde
28.	*Cronobiologia Chinesa*	G. Faubert & P. Crepon
29.	*Nutrição e Doença*	Carlos E. Leite
30.	*A Medicina Nishi*	Katsuso Nishi
31.	*Endireite as Costas*	José Knoplich
32.	*Medicinas Alternativas*	Paulo E. Gonsalves (org.)
33.	*A Cura Pelas Flores*	Aluísio J. R. Jr.
34.	*Domine Seus Nervos*	Claire Weekes
35.	*A Medicina Ayur-Védica*	Gerard Edde
36.	*Prevenindo a Osteoporose*	José Knoplich
37.	*Salmos Para a Saúde*	Daniel G. Fishman
38.	*Alimentos que Curam*	Paulo E. Gonsalves
39.	*Plantas que Curam*	Sylvio Panizza

Biblioteca "ÊXITO"

Volumes publicados:

1.	*Do Fracasso ao Sucesso na Arte de Vender*	Frank Bettger
2.	*As Cinco Grandes Regras do Bom Vendedor*	Percy Whiting
3.	*Vença Pelo Poder Emocional*	Eugene J. Benge
4.	*Sucesso na Arte de Viver*	Harold Sherman
5.	*A Arte de Vender Para a Mulher*	Janet Wolf
6.	*TNT — Nossa Força Interior*	H. Sherman & C. Bristol
7.	*O Segredo da Eficiência Pessoal*	Donald A. Laird
8.	*Realize Suas Aspirações*	Elmer Wheeler
9.	*Dinamize Sua Personalidade*	Elmer Wheeler
10.	*Vença Pela Força do Pensamento Positivo*	Pierre Vachet
11.	*Venda Mais e Melhor*	W. K. Lewis
12.	*A Chave do Sucesso*	W. G. Damroth
13.	*Os Sete Segredos Que Vendem*	E. J. Hegarty
14.	*Psicologia Aplicada na Arte de Vender*	Donald A. Laird
15.	*Grandes Problemas e Grandes Soluções do Vendedor Moderno*	Percy H. Whiting
16.	*Ajuda-te Pela Cibernética Mental*	U. S. Anderson
17.	*Super-TNT — Liberte Suas Forças Interiores*	Harold Sherman
18.	*O Poder da Comunicação*	J. V. Cerney
19.	*O Poder da Cibernética Mental*	R. Eugene Nichols
20.	*Leis Dinâmicas da Prosperidade*	Catherine Ponder
21.	*Leitura Dinâmica em 7 Dias*	William S. Shaill
22.	*A Psicologia da Comunicação*	Jesse S. Nirenberg
23.	*Criatividade Profissional*	Eugene Von Fange
24.	*O Poder Criador da Mente*	Alex F. Osborn
25.	*Arte e Ciência da Criatividade*	George F. Kneller
26.	*Use o Poder de Sua Mente*	David J. Schwarts
27.	*Para Enriquecer Pense Como um Milionário*	Howard E. Hill

28. *Desperte Sua Força Mental* — Alex F. Osborn
29. *Criatividade — Progresso e Potencial* — Calvin W. Taylor
30. *Criatividade — Medidas, Testes e Avaliações* — E. Paul Torrance
31. *Psicologia, Técnica e Prática de Vendas* — Constantino Grecco
32. *Vença Pela Fé* — Gordon Powell
33. *Idéias Para Vencer* — Myron S. Allen
34. *A Força do Poder Interior* — J. J. McMahon
35. *O Líder — 500 Conceitos de Liderança* — Ilie Gilbert
36. *Gerência de Lojas* — Constantino Grecco
37. *O Líder — vol. II* — Ilie Gilbert
38. *Viver Agora* — Joel. S. Goldsmith
39. *O Líder — vol. III* — Ilie Gilbert
40. *Nos Bastidores da Venda* — I. R. Petarca
41. *Manual de Criatividade* — Mauro Rodrigues
42. *A Alegria do Triunfo* — Patrick Estrade
43. *Ajuda-te Pela Magia* — J. M. Nogueira
44. *Liderança Com Sucesso* — Isabel F. Furini
45. *O Poder do Subconsciente* — Marcel Rouet
46. *Otimismo em Ação* — Isabel F. Furini
47. *Como Tornar-se um Campeão de Vendas* — Celso Skrabe
48. *Os Sete Pilares do Sucesso em Vendas* — Jonathan Evetts
49. *Negociação Personalizada* — Tom Anastasi
50. *Salmos Para a Prosperidade* — Daniel G. Fischman
51. *Salmos Para a Proteção* — Daniel G. Fischman
52. *Meditando Dia-a-Dia* — Kinara Ananda
53. *Vender É uma Arte* — Terri Murphy
54. *Show de Vendas* — Sidney A. Friedman

Impressao e acabamento:

infinitygrafica.com.br/